CHINESE NAMES, SURN~~AMES~~
LOCATIONS & ADDRESSES
中国大陆地址集

SHANGHAI MUNICIPALITY - PART 8
上海直辖市

ZIYUE TANG
汤子玥

ACKNOWLEDGEMENT

I am deeply indebted to my friends and family members to support me throughout my life. Without their invaluable love and guidance, this work wouldn't have been possible.

Thank you

Ziyue Tang

汤子玥

PREFACE

The book introduces foreigner students to the Chinese names along with locations and addresses from the **Shanghai** Municipality of China (中国上海直辖市). The book contains 150 entries (names, addresses) explained with simplified Chinese characters, pinyin and English.

Chinese names follow the standard convention where the given name is written after the surname. For example, in 王威 (Wang Wei), Wang is the surname, and Wei is the given name. Further, the surnames are generally made of one (王) or two characters (司马). Similarly, the given names are also made of either one or two characters. For example, 司马威 (Sima Wei) is a three character Chinese name suitable for men. 司马威威 is a four character Chinese name.

Chinese addresses are comprised of different administrative units that start with the largest geographic entity (country) and continue to the smallest entity (county, building names, room number). For example, a typical address in Nanjing city (capital of Jiangsu province) would look like 江苏省南京市清华路 28 栋 520 室 (Jiāngsū shěng nánjīng shì qīnghuá lù 28 dòng 520 shì; Room 520, Building 28, Qinghua Road, Nanjing City, Jiangsu Province).

CONTENTS

CHAPTER 1: NAME, SURNAME & ADDRESSES (1-30)

1051。姓名: 司寇食强

住址（机场）：中国上海市崇明区超强路 362 号上海冕仓国际机场（邮政编码：297073）。联系电话：63161858。电子邮箱：bdxsv@rehpjbvq.airports.cn

Zhù zhǐ: Sīkòu Yì Qiáng Zhōng Guó Shànghǎi Shì Chóngmíng Qū Chāo Qiǎng Lù 362 Hào àngǎi Miǎn Cāng Guó Jì Jī Chǎng (Yóuzhèng Biānmǎ：297073). Liánxì Diànhuà：63161858. Diànzǐ Yóuxiāng：bdxsv@rehpjbvq.airports.cn

Yi Qiang Sikou, Shanghai Mian Cang International Airport, 362 Chao Qiang Road, Chongming District, Shanghai, China. Postal Code: 297073. Phone Number：63161858. E-mail：bdxsv@rehpjbvq.airports.cn

1052。姓名: 解龙恩

住址（大学）：中国上海市长宁区珂超大学臻先路 132 号（邮政编码：970818）。联系电话：50350949。电子邮箱：fjpus@vsqlbjou.edu.cn

Zhù zhǐ: Xiè Lóng Ēn Zhōng Guó Shànghǎi Shì Zhǎngníng Qū Kē Chāo DàxuéZhēn Xiān Lù 132 Hào (Yóuzhèng Biānmǎ：970818). Liánxì Diànhuà：50350949. Diànzǐ Yóuxiāng：fjpus@vsqlbjou.edu.cn

Long En Xie, Ke Chao University, 132 Zhen Xian Road, Changning District, Shanghai, China. Postal Code: 970818. Phone Number：50350949. E-mail：fjpus@vsqlbjou.edu.cn

1053。姓名: 丁钦歧

住址（火车站）：中国上海市嘉定区员尚路 420 号上海站（邮政编码：926438）。联系电话：20511636。电子邮箱：uiwen@lotnefkz.chr.cn

Zhù zhǐ: Dīng Qīn Qí Zhōng Guó Shànghǎi Shì Jiādìng Qū Yún Shàng Lù 420 Hào àngǎi Zhàn (Yóuzhèng Biānmǎ: 926438). Liánxì Diànhuà: 20511636. Diànzǐ Yóuxiāng: uiwen@lotnefkz.chr.cn

Qin Qi Ding, Shanghai Railway Station, 420 Yun Shang Road, Jiading District, Shanghai, China. Postal Code: 926438. Phone Number: 20511636. E-mail: uiwen@lotnefkz.chr.cn

1054。姓名: 董嘉舟

住址（公司）：中国上海市徐汇区陆亭路 731 号跃食有限公司（邮政编码：209874）。联系电话：65521052。电子邮箱：xibco@joureqbt.biz.cn

Zhù zhǐ: Dǒng Jiā Zhōu Zhōng Guó Shànghǎi Shì Xúhuì Qū Lù Tíng Lù 731 Hào Yuè Shí Yǒuxiàn Gōngsī (Yóuzhèng Biānmǎ: 209874). Liánxì Diànhuà: 65521052. Diànzǐ Yóuxiāng: xibco@joureqbt.biz.cn

Jia Zhou Dong, Yue Shi Corporation, 731 Lu Ting Road, Xuhui District, Shanghai, China. Postal Code: 209874. Phone Number: 65521052. E-mail: xibco@joureqbt.biz.cn

1055。姓名: 史舟己

住址（公园）：中国上海市奉贤区自继路 166 号土涛公园（邮政编码：874433）。联系电话：14347640。电子邮箱：yxetn@qipxtvgj.parks.cn

Zhù zhǐ: Shǐ Zhōu Jǐ Zhōng Guó Shànghǎi Shì Fèngxián Qū Zì Jì Lù 166 Hào Tǔ Tāo Gōng Yuán (Yóuzhèng Biānmǎ: 874433). Liánxì Diànhuà: 14347640. Diànzǐ Yóuxiāng: yxetn@qipxtvgj.parks.cn

Zhou Ji Shi, Tu Tao Park, 166 Zi Ji Road, Fengxian District, Shanghai, China. Postal Code: 874433. Phone Number: 14347640. E-mail: yxetn@qipxtvgj.parks.cn

1056。姓名: 沃沛继

住址（医院）：中国上海市闵行区泽国路 527 号沛易医院（邮政编码：424606）。联系电话：83361907。电子邮箱：dizpb@evkurxig.health.cn

Zhù zhǐ: Wò Bèi Jì Zhōng Guó Shànghǎi Shì Mǐnxíng Qū Zé Guó Lù 527 Hào Pèi Yì Yī Yuàn（Yóuzhèng Biānmǎ：424606). Liánxì Diànhuà：83361907. Diànzǐ Yóuxiāng：dizpb@evkurxig.health.cn

Bei Ji Wo, Pei Yi Hospital, 527 Ze Guo Road, Minhang District, Shanghai, China. Postal Code: 424606. Phone Number：83361907. E-mail：dizpb@evkurxig.health.cn

1057。姓名: 庞懂中

住址（机场）：中国上海市虹口区尚成路 426 号上海启俊国际机场（邮政编码：163372）。联系电话：72376096。电子邮箱：twjzo@xuwjiqaz.airports.cn

Zhù zhǐ: Páng Dǒng Zhōng Zhōng Guó Shànghǎi Shì Hóngkǒu Qū Shàng Chéng Lù 426 Hào àngǎi Qǐ Jùn Guó Jì Jī Chǎng（Yóuzhèng Biānmǎ：163372). Liánxì Diànhuà：72376096. Diànzǐ Yóuxiāng：twjzo@xuwjiqaz.airports.cn

Dong Zhong Pang, Shanghai Qi Jun International Airport, 426 Shang Cheng Road, Hongkou District, Shanghai, China. Postal Code: 163372. Phone Number：72376096. E-mail：twjzo@xuwjiqaz.airports.cn

1058。姓名: 季智帆

住址（火车站）：中国上海市长宁区王自路 432 号上海站（邮政编码：943748）。联系电话：58136188。电子邮箱：plmud@ldujgtao.chr.cn

Zhù zhǐ: Jì Zhì Fān Zhōng Guó Shànghǎi Shì Zhǎngníng Qū Wáng Zì Lù 432 Hào àngǎi Zhàn（Yóuzhèng Biānmǎ：943748). Liánxì Diànhuà：58136188. Diànzǐ Yóuxiāng：plmud@ldujgtao.chr.cn

Zhi Fan Ji, Shanghai Railway Station, 432 Wang Zi Road, Changning District, Shanghai, China. Postal Code: 943748. Phone Number：58136188. E-mail：plmud@ldujgtao.chr.cn

1059。姓名：褚熔宽

住址（湖泊）：中国上海市杨浦区晖冠路 259 号原仓湖（邮政编码：774853）。联系电话：20142008。电子邮箱：kdvpu@ywzafkse.lakes.cn

Zhù zhǐ: Chǔ Róng Kuān Zhōng Guó Shànghǎi Shì Yángpǔ Qū Huī Guàn Lù 259 Hào Yuán Cāng Hú（Yóuzhèng Biānmǎ：774853). Liánxì Diànhuà：20142008. Diànzǐ Yóuxiāng：kdvpu@ywzafkse.lakes.cn

Rong Kuan Chu, Yuan Cang Lake, 259 Hui Guan Road, Yangpu District, Shanghai, China. Postal Code: 774853. Phone Number：20142008. E-mail：kdvpu@ywzafkse.lakes.cn

1060。姓名：长孙发龙

住址（湖泊）：中国上海市虹口区昌土路 476 号绅臻湖（邮政编码：311266）。联系电话：72930084。电子邮箱：ezlvy@axyowkpi.lakes.cn

Zhù zhǐ: Zhǎngsūn Fā Lóng Zhōng Guó Shànghǎi Shì Hóngkǒu Qū Chāng Tǔ Lù 476 Hào Shēn Zhēn Hú（Yóuzhèng Biānmǎ：311266). Liánxì Diànhuà：72930084. Diànzǐ Yóuxiāng：ezlvy@axyowkpi.lakes.cn

Fa Long Zhangsun, Shen Zhen Lake, 476 Chang Tu Road, Hongkou District, Shanghai, China. Postal Code: 311266. Phone Number：72930084. E-mail：ezlvy@axyowkpi.lakes.cn

1061。姓名：司空歧珏

住址（医院）：中国上海市青浦区澜兆路 558 号中敬医院（邮政编码：956275）。联系电话：88956603。电子邮箱：xniga@thmyicxd.health.cn

Zhù zhǐ: Sīkōng Qí Jué Zhōng Guó Shànghǎi Shì Qīngpǔ Qū Lán Zhào Lù 558 Hào Zhōng Jìng Yī Yuàn（Yóuzhèng Biānmǎ：956275). Liánxì Diànhuà：88956603. Diànzǐ Yóuxiāng：xniga@thmyicxd.health.cn

Qi Jue Sikong, Zhong Jing Hospital, 558 Lan Zhao Road, Qingpu District, Shanghai, China. Postal Code: 956275. Phone Number：88956603. E-mail：xniga@thmyicxd.health.cn

1062。姓名: 颛孙楚发

住址（火车站）：中国上海市松江区钦葆路 221 号上海站（邮政编码：595304）。联系电话：17114654。电子邮箱：awfxb@dhbsvife.chr.cn

Zhù zhǐ: Zhuānsūn Chǔ Fā Zhōng Guó Shànghǎi Shì Sōngjiāng Qū Qīn Bǎo Lù 221 Hào àngǎi Zhàn（Yóuzhèng Biānmǎ：595304). Liánxì Diànhuà：17114654. Diànzǐ Yóuxiāng：awfxb@dhbsvife.chr.cn

Chu Fa Zhuansun, Shanghai Railway Station, 221 Qin Bao Road, Songjiang District, Shanghai, China. Postal Code: 595304. Phone Number：17114654. E-mail：awfxb@dhbsvife.chr.cn

1063。姓名: 郭仲辉

住址（大学）：中国上海市闵行区钊庆大学茂全路 591 号（邮政编码：382236）。联系电话：28243089。电子邮箱：kpahf@dnvshakm.edu.cn

Zhù zhǐ: Guō Zhòng Huī Zhōng Guó Shànghǎi Shì Mǐnxíng Qū Zhāo Qìng DàxuéMào Quán Lù 591 Hào（Yóuzhèng Biānmǎ：382236). Liánxì Diànhuà：28243089. Diànzǐ Yóuxiāng：kpahf@dnvshakm.edu.cn

Zhong Hui Guo, Zhao Qing University, 591 Mao Quan Road, Minhang District, Shanghai, China. Postal Code: 382236. Phone Number：28243089. E-mail：kpahf@dnvshakm.edu.cn

1064。姓名: 卫顺民

住址（公共汽车站）：中国上海市闵行区焯祥路 270 号守葆站（邮政编码：866734）。联系电话：30566855。电子邮箱：zemxj@fqlwskdb.transport.cn

Zhù zhǐ: Wèi Shùn Mín Zhōng Guó Shànghǎi Shì Mǐnxíng Qū Zhuō Xiáng Lù 270 Hào Shǒu Bǎo Zhàn（Yóuzhèng Biānmǎ：866734）. Liánxì Diànhuà：30566855. Diànzǐ Yóuxiāng：zemxj@fqlwskdb.transport.cn

Shun Min Wei, Shou Bao Bus Station, 270 Zhuo Xiang Road, Minhang District, Shanghai, China. Postal Code: 866734. Phone Number：30566855. E-mail：zemxj@fqlwskdb.transport.cn

1065。姓名: 葛愈维

住址（医院）：中国上海市黄浦区珏近路 574 号毅奎医院（邮政编码：818169）。联系电话：90636463。电子邮箱：vqxdi@tgwdunay.health.cn

Zhù zhǐ: Gě Yù Wéi Zhōng Guó Shànghǎi Shì Huángpǔ Qū Jué Jìn Lù 574 Hào Yì Kuí Yī Yuàn（Yóuzhèng Biānmǎ：818169）. Liánxì Diànhuà：90636463. Diànzǐ Yóuxiāng：vqxdi@tgwdunay.health.cn

Yu Wei Ge, Yi Kui Hospital, 574 Jue Jin Road, Huangpu District, Shanghai, China. Postal Code: 818169. Phone Number：90636463. E-mail：vqxdi@tgwdunay.health.cn

1066。姓名: 勾先谢

住址（火车站）：中国上海市金山区鹤豹路 452 号上海站（邮政编码：546297）。联系电话：69695963。电子邮箱：floks@afgumbkp.chr.cn

Zhù zhǐ: Gōu Xiān Xiè Zhōng Guó Shànghǎi Shì Jīnshān Qū Hè Bào Lù 452 Hào àngǎi Zhàn（Yóuzhèng Biānmǎ：546297）. Liánxì Diànhuà：69695963. Diànzǐ Yóuxiāng：floks@afgumbkp.chr.cn

Xian Xie Gou, Shanghai Railway Station, 452 He Bao Road, Jinshan District, Shanghai, China. Postal Code: 546297. Phone Number：69695963. E-mail：floks@afgumbkp.chr.cn

1067。姓名: 黎洵威

住址（医院）：中国上海市奉贤区陆泽路 752 号轶立医院（邮政编码：829279）。联系电话：19654629。电子邮箱：qnljo@secgpfda.health.cn

Zhù zhǐ: Lí Xún Wēi Zhōng Guó Shànghǎi Shì Fèngxián Qū Lù Zé Lù 752 Hào Yì Lì Yī Yuàn （Yóuzhèng Biānmǎ：829279). Liánxì Diànhuà：19654629. Diànzǐ Yóuxiāng：qnljo@secgpfda.health.cn

Xun Wei Li, Yi Li Hospital, 752 Lu Ze Road, Fengxian District, Shanghai, China. Postal Code: 829279. Phone Number：19654629. E-mail：qnljo@secgpfda.health.cn

1068。姓名: 应岐其

住址（大学）：中国上海市宝山区化昌大学亮甫路 142 号（邮政编码：369774）。联系电话：14180473。电子邮箱：jrzhw@gpztquil.edu.cn

Zhù zhǐ: Yīng Qí Qí Zhōng Guó Shànghǎi Shì Bǎoshān Qū Huā Chāng DàxuéLiàng Fǔ Lù 142 Hào （Yóuzhèng Biānmǎ：369774). Liánxì Diànhuà：14180473. Diànzǐ Yóuxiāng：jrzhw@gpztquil.edu.cn

Qi Qi Ying, Hua Chang University, 142 Liang Fu Road, Baoshan District, Shanghai, China. Postal Code: 369774. Phone Number：14180473. E-mail：jrzhw@gpztquil.edu.cn

1069。姓名: 宣秀钦

住址（博物院）：中国上海市松江区先涛路 336 号上海博物馆（邮政编码：638357）。联系电话：99730502。电子邮箱：rinmv@yrakjzqb.museums.cn

Zhù zhǐ: Xuān Xiù Qīn Zhōng Guó Shànghǎi Shì Sōngjiāng Qū Xiān Tāo Lù 336 Hào àngǎi Bó Wù Guǎn （Yóuzhèng Biānmǎ：638357). Liánxì Diànhuà：99730502. Diànzǐ Yóuxiāng：rinmv@yrakjzqb.museums.cn

Xiu Qin Xuan, Shanghai Museum, 336 Xian Tao Road, Songjiang District, Shanghai, China. Postal Code: 638357. Phone Number：99730502. E-mail：rinmv@yrakjzqb.museums.cn

1070。姓名：胥王尚

住址（博物院）：中国上海市长宁区启洵路 935 号上海博物馆（邮政编码：179321）。联系电话：85318661。电子邮箱：xwknh@fnjvyzab.museums.cn

Zhù zhǐ: Xū Wàng Shàng Zhōng Guó Shànghǎi Shì Zhǎngníng Qū Qǐ Xún Lù 935 Hào àngǎi Bó Wù Guǎn（Yóuzhèng Biānmǎ：179321). Liánxì Diànhuà：85318661. Diànzǐ Yóuxiāng：xwknh@fnjvyzab.museums.cn

Wang Shang Xu, Shanghai Museum, 935 Qi Xun Road, Changning District, Shanghai, China. Postal Code: 179321. Phone Number：85318661. E-mail：xwknh@fnjvyzab.museums.cn

1071。姓名：夹谷坤隆

住址（公园）：中国上海市静安区乐乐路 695 号熔陆公园（邮政编码：903977）。联系电话：59427653。电子邮箱：odtis@jzagdhsc.parks.cn

Zhù zhǐ: Jiágǔ Kūn Lóng Zhōng Guó Shànghǎi Shì Jìngān Qū Lè Lè Lù 695 Hào Róng Lù Gōng Yuán（Yóuzhèng Biānmǎ：903977). Liánxì Diànhuà：59427653. Diànzǐ Yóuxiāng：odtis@jzagdhsc.parks.cn

Kun Long Jiagu, Rong Lu Park, 695 Le Le Road, Jingan District, Shanghai, China. Postal Code: 903977. Phone Number：59427653. E-mail：odtis@jzagdhsc.parks.cn

1072。姓名：慕维胜

住址（大学）：中国上海市松江区独焯大学冠伦路 358 号（邮政编码：646892）。联系电话：32499030。电子邮箱：eqnty@lmptcyid.edu.cn

Zhù zhǐ: Mù Wéi Shēng Zhōng Guó Shànghǎi Shì Sōngjiāng Qū Dú Zhuō DàxuéGuàn Lún Lù 358 Hào（Yóuzhèng Biānmǎ：646892). Liánxì Diànhuà：32499030. Diànzǐ Yóuxiāng：eqnty@lmptcyid.edu.cn

Wei Sheng Mu, Du Zhuo University, 358 Guan Lun Road, Songjiang District, Shanghai, China. Postal Code: 646892. Phone Number：32499030. E-mail：eqnty@lmptcyid.edu.cn

1073。姓名: 窦近铁

住址（医院）：中国上海市嘉定区铭近路 905 号圣员医院（邮政编码：404773）。联系电话：26329843。电子邮箱：arnwz@odswbvmh.health.cn

Zhù zhǐ: Dòu Jìn Tiě Zhōng Guó Shànghǎi Shì Jiādìng Qū Míng Jìn Lù 905 Hào Shèng Yuán Yī Yuàn（Yóuzhèng Biānmǎ：404773). Liánxì Diànhuà：26329843. Diànzǐ Yóuxiāng：arnwz@odswbvmh.health.cn

Jin Tie Dou, Sheng Yuan Hospital, 905 Ming Jin Road, Jiading District, Shanghai, China. Postal Code: 404773. Phone Number：26329843. E-mail：arnwz@odswbvmh.health.cn

1074。姓名: 裘辙甫

住址（机场）：中国上海市静安区斌禹路 524 号上海超陶国际机场（邮政编码：371056）。联系电话：72191918。电子邮箱：xwjsb@jeuiyxrg.airports.cn

Zhù zhǐ: Qiú Zhé Fǔ Zhōng Guó Shànghǎi Shì Jìngān Qū Bīn Yǔ Lù 524 Hào àngǎi Chāo Táo Guó Jì Jī Chǎng（Yóuzhèng Biānmǎ：371056). Liánxì Diànhuà：72191918. Diànzǐ Yóuxiāng：xwjsb@jeuiyxrg.airports.cn

Zhe Fu Qiu, Shanghai Chao Tao International Airport, 524 Bin Yu Road, Jingan District, Shanghai, China. Postal Code: 371056. Phone Number：72191918. E-mail：xwjsb@jeuiyxrg.airports.cn

1075。姓名: 严尚楚

住址（火车站）：中国上海市静安区陶全路 120 号上海站（邮政编码：480826）。联系电话：14877212。电子邮箱：icdmf@hviqcwzs.chr.cn

Zhù zhǐ: Yán Shàng Chǔ Zhōng Guó Shànghǎi Shì Jìngān Qū Táo Quán Lù 120 Hào àngǎi Zhàn (Yóuzhèng Biānmǎ：480826). Liánxì Diànhuà：14877212. Diànzǐ Yóuxiāng：icdmf@hviqcwzs.chr.cn

Shang Chu Yan, Shanghai Railway Station, 120 Tao Quan Road, Jingan District, Shanghai, China. Postal Code: 480826. Phone Number：14877212. E-mail：icdmf@hviqcwzs.chr.cn

1076。姓名: 生盛敬

住址（公共汽车站）：中国上海市徐汇区土红路 135 号立学站（邮政编码：726225）。联系电话：43478981。电子邮箱：ebtxj@jaeqmfub.transport.cn

Zhù zhǐ: Shēng Chéng Jìng Zhōng Guó Shànghǎi Shì Xúhuì Qū Tǔ Hóng Lù 135 Hào Lì Xué Zhàn (Yóuzhèng Biānmǎ：726225). Liánxì Diànhuà：43478981. Diànzǐ Yóuxiāng：ebtxj@jaeqmfub.transport.cn

Cheng Jing Sheng, Li Xue Bus Station, 135 Tu Hong Road, Xuhui District, Shanghai, China. Postal Code: 726225. Phone Number：43478981. E-mail：ebtxj@jaeqmfub.transport.cn

1077。姓名: 卜咚翼

住址（湖泊）：中国上海市静安区立近路 637 号腾刚湖（邮政编码：266986）。联系电话：74151884。电子邮箱：kauzo@inqpgtoe.lakes.cn

Zhù zhǐ: Bǔ Dōng Yì Zhōng Guó Shànghǎi Shì Jìngān Qū Lì Jìn Lù 637 Hào Téng Gāng Hú (Yóuzhèng Biānmǎ：266986). Liánxì Diànhuà：74151884. Diànzǐ Yóuxiāng：kauzo@inqpgtoe.lakes.cn

Dong Yi Bu, Teng Gang Lake, 637 Li Jin Road, Jingan District, Shanghai, China. Postal Code: 266986. Phone Number：74151884. E-mail：kauzo@inqpgtoe.lakes.cn

1078。姓名: 戚铭冠

住址（广场）：中国上海市浦东新区世鹤路 626 号乐铁广场（邮政编码：806282）。联系电话：92765660。电子邮箱：qztrb@qlchoanm.squares.cn

Zhù zhǐ: Qī Míng Guàn Zhōng Guó Shànghǎi Shì Pǔdōng Xīnqū Shì Hè Lù 626 Hào Lè Tiě Guǎng Chǎng（Yóuzhèng Biānmǎ：806282). Liánxì Diànhuà：92765660. Diànzǐ Yóuxiāng：qztrb@qlchoanm.squares.cn

Ming Guan Qi, Le Tie Square, 626 Shi He Road, Pudong New Area, Shanghai, China. Postal Code: 806282. Phone Number：92765660. E-mail：qztrb@qlchoanm.squares.cn

1079。姓名: 倪尚大

住址（酒店）：中国上海市松江区舟嘉路 731 号乙红酒店（邮政编码：175141）。联系电话：97539219。电子邮箱：yjcwg@ltuxngch.biz.cn

Zhù zhǐ: Ní Shàng Dài Zhōng Guó Shànghǎi Shì Sōngjiāng Qū Zhōu Jiā Lù 731 Hào Yǐ Hóng Jiǔ Diàn（Yóuzhèng Biānmǎ：175141). Liánxì Diànhuà：97539219. Diànzǐ Yóuxiāng：yjcwg@ltuxngch.biz.cn

Shang Dai Ni, Yi Hong Hotel, 731 Zhou Jia Road, Songjiang District, Shanghai, China. Postal Code: 175141. Phone Number：97539219. E-mail：yjcwg@ltuxngch.biz.cn

1080。姓名: 蔚俊居

住址（火车站）：中国上海市静安区斌柱路 497 号上海站（邮政编码：912803）。联系电话：83661476。电子邮箱：emolb@hpdufvno.chr.cn

Zhù zhǐ: Wèi Jùn Jū Zhōng Guó Shànghǎi Shì Jìngān Qū Bīn Zhù Lù 497 Hào àngǎi Zhàn（Yóuzhèng Biānmǎ：912803). Liánxì Diànhuà：83661476. Diànzǐ Yóuxiāng：emolb@hpdufvno.chr.cn

Jun Ju Wei, Shanghai Railway Station, 497 Bin Zhu Road, Jingan District, Shanghai, China. Postal Code: 912803. Phone Number：83661476. E-mail：emolb@hpdufvno.chr.cn

CHAPTER 2: NAME, SURNAME & ADDRESSES (31-60)

1081。姓名: 公良星楚

住址（公共汽车站）：中国上海市金山区自亚路 266 号仓珂站（邮政编码：334524）。联系电话：14654568。电子邮箱：uoagx@glpxshvb.transport.cn

Zhù zhǐ: Gōngliáng Xīng Chǔ Zhōng Guó Shànghǎi Shì Jīnshān Qū Zì Yà Lù 266 Hào Cāng Kē Zhàn（Yóuzhèng Biānmǎ：334524）. Liánxì Diànhuà：14654568. Diànzǐ Yóuxiāng：uoagx@glpxshvb.transport.cn

Xing Chu Gongliang, Cang Ke Bus Station, 266 Zi Ya Road, Jinshan District, Shanghai, China. Postal Code: 334524. Phone Number：14654568. E-mail：uoagx@glpxshvb.transport.cn

1082。姓名: 涂游食

住址（博物院）：中国上海市宝山区焯勇路 235 号上海博物馆（邮政编码：438917）。联系电话：62423729。电子邮箱：pudgm@udjiyslb.museums.cn

Zhù zhǐ: Tú Yóu Yì Zhōng Guó Shànghǎi Shì Bǎoshān Qū Chāo Yǒng Lù 235 Hào àngǎi Bó Wù Guǎn（Yóuzhèng Biānmǎ：438917). Liánxì Diànhuà：62423729. Diànzǐ Yóuxiāng：pudgm@udjiyslb.museums.cn

You Yi Tu, Shanghai Museum, 235 Chao Yong Road, Baoshan District, Shanghai, China. Postal Code: 438917. Phone Number：62423729. E-mail：pudgm@udjiyslb.museums.cn

1083。姓名: 安译豪

住址（医院）：中国上海市宝山区惟勇路 927 号民员医院（邮政编码：495392）。联系电话：54334300。电子邮箱：irpnd@arqunweh.health.cn

Zhù zhǐ: Ān Yì Háo Zhōng Guó Shànghǎi Shì Bǎoshān Qū Wéi Yǒng Lù 927 Hào Mín Yuán Yī Yuàn（Yóuzhèng Biānmǎ：495392). Liánxì Diànhuà：54334300. Diànzǐ Yóuxiāng：irpnd@arqunweh.health.cn

Yi Hao An, Min Yuan Hospital, 927 Wei Yong Road, Baoshan District, Shanghai, China. Postal Code: 495392. Phone Number：54334300. E-mail：irpnd@arqunweh.health.cn

1084。姓名: 贺院红

住址（火车站）：中国上海市长宁区坤白路 586 号上海站（邮政编码：626497）。联系电话：19342628。电子邮箱：idjfv@kmgjqyaf.chr.cn

Zhù zhǐ: Hè Yuàn Hóng Zhōng Guó Shànghǎi Shì Zhǎngníng Qū Kūn Bái Lù 586 Hào àngǎi Zhàn（Yóuzhèng Biānmǎ：626497). Liánxì Diànhuà：19342628. Diànzǐ Yóuxiāng：idjfv@kmgjqyaf.chr.cn

Yuan Hong He, Shanghai Railway Station, 586 Kun Bai Road, Changning District, Shanghai, China. Postal Code: 626497. Phone Number：19342628. E-mail：idjfv@kmgjqyaf.chr.cn

1085。姓名: 解科焯

住址（酒店）：中国上海市青浦区乙超路 267 号禹帆酒店（邮政编码：860681）。联系电话：57564497。电子邮箱：mxczq@rkychoqb.biz.cn

Zhù zhǐ: Xiè Kē Zhuō Zhōng Guó Shànghǎi Shì Qīngpǔ Qū Yǐ Chāo Lù 267 Hào Yǔ Fān Jiǔ Diàn（Yóuzhèng Biānmǎ：860681). Liánxì Diànhuà：57564497. Diànzǐ Yóuxiāng：mxczq@rkychoqb.biz.cn

Ke Zhuo Xie, Yu Fan Hotel, 267 Yi Chao Road, Qingpu District, Shanghai, China. Postal Code: 860681. Phone Number：57564497. E-mail：mxczq@rkychoqb.biz.cn

1086。姓名: 梁豹淹

住址（博物院）：中国上海市黄浦区磊阳路 886 号上海博物馆（邮政编码：597876）。联系电话：22587080。电子邮箱：wntzo@kolbrzhx.museums.cn

Zhù zhǐ: Liáng Bào Yān Zhōng Guó Shànghǎi Shì Huángpǔ Qū Lěi Yáng Lù 886 Hào àngǎi Bó Wù Guǎn (Yóuzhèng Biānmǎ：597876). Liánxì Diànhuà：22587080. Diànzǐ Yóuxiāng：wntzo@kolbrzhx.museums.cn

Bao Yan Liang, Shanghai Museum, 886 Lei Yang Road, Huangpu District, Shanghai, China. Postal Code: 597876. Phone Number：22587080. E-mail：wntzo@kolbrzhx.museums.cn

1087。姓名: 通超庆

住址（公共汽车站）：中国上海市静安区自九路 139 号波舟站（邮政编码：965152）。联系电话：70100578。电子邮箱：iblvr@jxdmcvoh.transport.cn

Zhù zhǐ: Tōng Chāo Qìng Zhōng Guó Shànghǎi Shì Jìngān Qū Zì Jiǔ Lù 139 Hào Bō Zhōu Zhàn (Yóuzhèng Biānmǎ：965152). Liánxì Diànhuà：70100578. Diànzǐ Yóuxiāng：iblvr@jxdmcvoh.transport.cn

Chao Qing Tong, Bo Zhou Bus Station, 139 Zi Jiu Road, Jingan District, Shanghai, China. Postal Code: 965152. Phone Number：70100578. E-mail：iblvr@jxdmcvoh.transport.cn

1088。姓名: 严仓波

住址（医院）：中国上海市崇明区涛咚路 903 号民守医院（邮政编码：929870）。联系电话：73454805。电子邮箱：zhfxa@njcrsezl.health.cn

Zhù zhǐ: Yán Cāng Bō Zhōng Guó Shànghǎi Shì Chóngmíng Qū Tāo Dōng Lù 903 Hào Mín Shǒu Yī Yuàn (Yóuzhèng Biānmǎ：929870). Liánxì Diànhuà：73454805. Diànzǐ Yóuxiāng：zhfxa@njcrsezl.health.cn

Cang Bo Yan, Min Shou Hospital, 903 Tao Dong Road, Chongming District, Shanghai, China. Postal Code: 929870. Phone Number：73454805. E-mail：zhfxa@njcrsezl.health.cn

1089。姓名: 樊陶宝

住址（广场）：中国上海市长宁区强盛路 561 号晖辉广场（邮政编码：118940）。联系电话：20481778。电子邮箱：qlwns@lumnwzei.squares.cn

Zhù zhǐ: Fán Táo Bǎo Zhōng Guó Shànghǎi Shì Zhǎngníng Qū Qiǎng Chéng Lù 561 Hào Huī Huī Guǎng Chǎng（Yóuzhèng Biānmǎ：118940). Liánxì Diànhuà：20481778. Diànzǐ Yóuxiāng：qlwns@lumnwzei.squares.cn

Tao Bao Fan, Hui Hui Square, 561 Qiang Cheng Road, Changning District, Shanghai, China. Postal Code: 118940. Phone Number：20481778. E-mail：qlwns@lumnwzei.squares.cn

1090。姓名: 褚昌黎

住址（广场）：中国上海市金山区昌锤路 600 号庆辉广场（邮政编码：359216）。联系电话：31867312。电子邮箱：rkaml@efmdqpwk.squares.cn

Zhù zhǐ: Chǔ Chāng Lí Zhōng Guó Shànghǎi Shì Jīnshān Qū Chāng Chuí Lù 600 Hào Qìng Huī Guǎng Chǎng（Yóuzhèng Biānmǎ：359216). Liánxì Diànhuà：31867312. Diànzǐ Yóuxiāng：rkaml@efmdqpwk.squares.cn

Chang Li Chu, Qing Hui Square, 600 Chang Chui Road, Jinshan District, Shanghai, China. Postal Code: 359216. Phone Number：31867312. E-mail：rkaml@efmdqpwk.squares.cn

1091。姓名: 宰父原冠

住址（火车站）：中国上海市松江区独食路 690 号上海站（邮政编码：918190）。联系电话：12184022。电子邮箱：oebhf@snhrvuma.chr.cn

Zhù zhǐ: Zǎifǔ Yuán Guàn Zhōng Guó Shànghǎi Shì Sōngjiāng Qū Dú Shí Lù 690 Hào àngǎi Zhàn（Yóuzhèng Biānmǎ：918190). Liánxì Diànhuà：12184022. Diànzǐ Yóuxiāng：oebhf@snhrvuma.chr.cn

Yuan Guan Zaifu, Shanghai Railway Station, 690 Du Shi Road, Songjiang District, Shanghai, China. Postal Code: 918190. Phone Number：12184022. E-mail：oebhf@snhrvuma.chr.cn

1092。姓名: 景振珏

住址（机场）：中国上海市杨浦区嘉阳路 947 号上海超坡国际机场（邮政编码：441266）。联系电话：77029366。电子邮箱：fozcy@wlndhybp.airports.cn

Zhù zhǐ: Jǐng Zhèn Jué Zhōng Guó Shànghǎi Shì Yángpǔ Qū Jiā Yáng Lù 947 Hào àngǎi Chāo Pō Guó Jì Jī Chǎng（Yóuzhèng Biānmǎ：441266). Liánxì Diànhuà：77029366. Diànzǐ Yóuxiāng：fozcy@wlndhybp.airports.cn

Zhen Jue Jing, Shanghai Chao Po International Airport, 947 Jia Yang Road, Yangpu District, Shanghai, China. Postal Code: 441266. Phone Number：77029366. E-mail：fozcy@wlndhybp.airports.cn

1093。姓名: 顾亮歧

住址（医院）：中国上海市奉贤区庆化路 956 号葆磊医院（邮政编码：324086）。联系电话：77551995。电子邮箱：vioub@blcwpntv.health.cn

Zhù zhǐ: Gù Liàng Qí Zhōng Guó Shànghǎi Shì Fèngxián Qū Qìng Huā Lù 956 Hào Bǎo Lěi Yī Yuàn（Yóuzhèng Biānmǎ：324086). Liánxì Diànhuà：77551995. Diànzǐ Yóuxiāng：vioub@blcwpntv.health.cn

Liang Qi Gu, Bao Lei Hospital, 956 Qing Hua Road, Fengxian District, Shanghai, China. Postal Code: 324086. Phone Number：77551995. E-mail：vioub@blcwpntv.health.cn

1094。姓名: 须轼珂

住址（公园）：中国上海市青浦区源国路 682 号俊亭公园（邮政编码：706389）。联系电话：43735520。电子邮箱：aseim@wvednorz.parks.cn

Zhù zhǐ: Xū Shì Kē Zhōng Guó Shànghǎi Shì Qīngpǔ Qū Yuán Guó Lù 682 Hào Jùn Tíng Gōng Yuán（Yóuzhèng Biānmǎ：706389). Liánxì Diànhuà：43735520. Diànzǐ Yóuxiāng：aseim@wvednorz.parks.cn

Shi Ke Xu, Jun Ting Park, 682 Yuan Guo Road, Qingpu District, Shanghai, China. Postal Code: 706389. Phone Number：43735520. E-mail：aseim@wvednorz.parks.cn

1095。姓名: 蓝顺友

住址（公园）：中国上海市宝山区淹敬路 575 号金食公园（邮政编码：834454）。联系电话：50840861。电子邮箱：dbpcx@rzlvhfoi.parks.cn

Zhù zhǐ: Lán Shùn Yǒu Zhōng Guó Shànghǎi Shì Bǎoshān Qū Yān Jìng Lù 575 Hào Jīn Yì Gōng Yuán（Yóuzhèng Biānmǎ：834454）. Liánxì Diànhuà：50840861. Diànzǐ Yóuxiāng：dbpcx@rzlvhfoi.parks.cn

Shun You Lan, Jin Yi Park, 575 Yan Jing Road, Baoshan District, Shanghai, China. Postal Code: 834454. Phone Number：50840861. E-mail：dbpcx@rzlvhfoi.parks.cn

1096。姓名: 祁臻沛

住址（酒店）：中国上海市闵行区秀仲路 282 号智大酒店（邮政编码：693247）。联系电话：18277399。电子邮箱：dpcjt@ktrwafuv.biz.cn

Zhù zhǐ: Qí Zhēn Bèi Zhōng Guó Shànghǎi Shì Mǐnxíng Qū Xiù Zhòng Lù 282 Hào Zhì Dài Jiǔ Diàn（Yóuzhèng Biānmǎ：693247）. Liánxì Diànhuà：18277399. Diànzǐ Yóuxiāng：dpcjt@ktrwafuv.biz.cn

Zhen Bei Qi, Zhi Dai Hotel, 282 Xiu Zhong Road, Minhang District, Shanghai, China. Postal Code: 693247. Phone Number：18277399. E-mail：dpcjt@ktrwafuv.biz.cn

1097。姓名: 戈波钢

住址（大学）：中国上海市杨浦区腾守大学游九路 119 号（邮政编码：440729）。联系电话：99932745。电子邮箱：opyst@edfryczb.edu.cn

Zhù zhǐ: Gē Bō Gāng Zhōng Guó Shànghǎi Shì Yángpǔ Qū Téng Shǒu DàxuéYóu Jiǔ Lù 119 Hào (Yóuzhèng Biānmǎ: 440729). Liánxì Diànhuà: 99932745. Diànzǐ Yóuxiāng: opyst@edfryczb.edu.cn

Bo Gang Ge, Teng Shou University, 119 You Jiu Road, Yangpu District, Shanghai, China. Postal Code: 440729. Phone Number: 99932745. E-mail: opyst@edfryczb.edu.cn

1098。姓名: 红柱可

住址（公司）：中国上海市普陀区中计路 904 号光谢有限公司（邮政编码：440989）。联系电话：77478358。电子邮箱：xgpvq@izwrqlch.biz.cn

Zhù zhǐ: Hóng Zhù Kě Zhōng Guó Shànghǎi Shì Pǔtuó Qū Zhōng Jì Lù 904 Hào Guāng Xiè Yǒuxiàn Gōngsī (Yóuzhèng Biānmǎ: 440989). Liánxì Diànhuà: 77478358. Diànzǐ Yóuxiāng: xgpvq@izwrqlch.biz.cn

Zhu Ke Hong, Guang Xie Corporation, 904 Zhong Ji Road, Putuo District, Shanghai, China. Postal Code: 440989. Phone Number: 77478358. E-mail: xgpvq@izwrqlch.biz.cn

1099。姓名: 百里游威

住址（寺庙）：中国上海市杨浦区奎翼路 763 号强化寺（邮政编码：553397）。联系电话：95287877。电子邮箱：fvozd@vpfazwts.god.cn

Zhù zhǐ: Bǎilǐ Yóu Wēi Zhōng Guó Shànghǎi Shì Yángpǔ Qū Kuí Yì Lù 763 Hào Qiáng Huà Sì (Yóuzhèng Biānmǎ: 553397). Liánxì Diànhuà: 95287877. Diànzǐ Yóuxiāng: fvozd@vpfazwts.god.cn

You Wei Baili, Qiang Hua Temple, 763 Kui Yi Road, Yangpu District, Shanghai, China. Postal Code: 553397. Phone Number: 95287877. E-mail: fvozd@vpfazwts.god.cn

1100。姓名: 牛光超

住址（医院）：中国上海市宝山区兵大路 150 号钢彬医院（邮政编码：158961）。联系电话：18949058。电子邮箱：axwsl@lcoxksad.health.cn

Zhù zhǐ: Niú Guāng Chāo Zhōng Guó Shànghǎi Shì Bǎoshān Qū Bīng Dà Lù 150 Hào Gāng Bīn Yī Yuàn（Yóuzhèng Biānmǎ：158961). Liánxì Diànhuà：18949058. Diànzǐ Yóuxiāng：axwsl@lcoxksad.health.cn

Guang Chao Niu, Gang Bin Hospital, 150 Bing Da Road, Baoshan District, Shanghai, China. Postal Code: 158961. Phone Number：18949058. E-mail：axwsl@lcoxksad.health.cn

1101。姓名：弓克磊

住址（湖泊）：中国上海市徐汇区继沛路 224 号大沛湖（邮政编码：952521）。联系电话：41628799。电子邮箱：gtfad@oplgvmxj.lakes.cn

Zhù zhǐ: Gōng Kè Lěi Zhōng Guó Shànghǎi Shì Xúhuì Qū Jì Bèi Lù 224 Hào Dài Pèi Hú（Yóuzhèng Biānmǎ：952521). Liánxì Diànhuà：41628799. Diànzǐ Yóuxiāng：gtfad@oplgvmxj.lakes.cn

Ke Lei Gong, Dai Pei Lake, 224 Ji Bei Road, Xuhui District, Shanghai, China. Postal Code: 952521. Phone Number：41628799. E-mail：gtfad@oplgvmxj.lakes.cn

1102。姓名：公良际洵

住址（医院）：中国上海市长宁区阳食路 856 号焯翰医院（邮政编码：290640）。联系电话：34920895。电子邮箱：jkryx@bndvthwa.health.cn

Zhù zhǐ: Gōngliáng Jì Xún Zhōng Guó Shànghǎi Shì Zhǎngníng Qū Yáng Shí Lù 856 Hào Chāo Hàn Yī Yuàn（Yóuzhèng Biānmǎ：290640). Liánxì Diànhuà：34920895. Diànzǐ Yóuxiāng：jkryx@bndvthwa.health.cn

Ji Xun Gongliang, Chao Han Hospital, 856 Yang Shi Road, Changning District, Shanghai, China. Postal Code: 290640. Phone Number：34920895. E-mail：jkryx@bndvthwa.health.cn

1103。姓名：经骥辙

住址（寺庙）：中国上海市浦东新区迅土路 773 号昌译寺（邮政编码：474132）。联系电话：15540289。电子邮箱：qtjcx@lrmzsgpt.god.cn

Zhù zhǐ: Jīng Jì Zhé Zhōng Guó Shànghǎi Shì Pǔdōng Xīnqū Xùn Tǔ Lù 773 Hào Chāng Yì Sì（Yóuzhèng Biānmǎ：474132). Liánxì Diànhuà：15540289. Diànzǐ Yóuxiāng：qtjcx@lrmzsgpt.god.cn

Ji Zhe Jing, Chang Yi Temple, 773 Xun Tu Road, Pudong New Area, Shanghai, China. Postal Code: 474132. Phone Number：15540289. E-mail：qtjcx@lrmzsgpt.god.cn

1104。姓名：水光庆

住址（广场）：中国上海市虹口区宽锤路 662 号食焯广场（邮政编码：950368）。联系电话：99627149。电子邮箱：mqdwh@eyjfwxqt.squares.cn

Zhù zhǐ: Shuǐ Guāng Qìng Zhōng Guó Shànghǎi Shì Hóngkǒu Qū Kuān Chuí Lù 662 Hào Sì Chāo Guǎng Chǎng（Yóuzhèng Biānmǎ：950368). Liánxì Diànhuà：99627149. Diànzǐ Yóuxiāng：mqdwh@eyjfwxqt.squares.cn

Guang Qing Shui, Si Chao Square, 662 Kuan Chui Road, Hongkou District, Shanghai, China. Postal Code: 950368. Phone Number：99627149. E-mail：mqdwh@eyjfwxqt.squares.cn

1105。姓名：令狐焯中

住址（机场）：中国上海市徐汇区不龙路 606 号上海铁泽国际机场（邮政编码：224978）。联系电话：96201428。电子邮箱：pdrcl@wqsabvgd.airports.cn

Zhù zhǐ: Lìnghú Zhuō Zhōng Zhōng Guó Shànghǎi Shì Xúhuì Qū Bù Lóng Lù 606 Hào àngǎi Fū Zé Guó Jì Jī Chǎng（Yóuzhèng Biānmǎ：224978). Liánxì Diànhuà：96201428. Diànzǐ Yóuxiāng：pdrcl@wqsabvgd.airports.cn

Zhuo Zhong Linghu, Shanghai Fu Ze International Airport, 606 Bu Long Road, Xuhui District, Shanghai, China. Postal Code: 224978. Phone Number：96201428. E-mail：pdrcl@wqsabvgd.airports.cn

1106。姓名: 祁盛沛

住址（家庭）：中国上海市静安区其王路 505 号郁己公寓 1 层 455 室（邮政编码：484357）。联系电话：11853576。电子邮箱：vdsbt@yrfwaqvu.cn

Zhù zhǐ: Qí Shèng Pèi Zhōng Guó Shànghǎi Shì Jìngān Qū Qí Wàng Lù 505 Hào Yù Jǐ Gōng Yù 1 Céng 455 Shì (Yóuzhèng Biānmǎ：484357). Liánxì Diànhuà：11853576. Diànzǐ Yóuxiāng：vdsbt@yrfwaqvu.cn

Sheng Pei Qi, Room# 455, Floor# 1, Yu Ji Apartment, 505 Qi Wang Road, Jingan District, Shanghai, China. Postal Code: 484357. Phone Number：11853576. E-mail：vdsbt@yrfwaqvu.cn

1107。姓名: 后继盛

住址（酒店）：中国上海市静安区稼队路 872 号院泽酒店（邮政编码：288979）。联系电话：19338457。电子邮箱：pgdix@hawecgxk.biz.cn

Zhù zhǐ: Hòu Jì Shèng Zhōng Guó Shànghǎi Shì Jìngān Qū Jià Duì Lù 872 Hào Yuàn Zé Jiǔ Diàn (Yóuzhèng Biānmǎ：288979). Liánxì Diànhuà：19338457. Diànzǐ Yóuxiāng：pgdix@hawecgxk.biz.cn

Ji Sheng Hou, Yuan Ze Hotel, 872 Jia Dui Road, Jingan District, Shanghai, China. Postal Code: 288979. Phone Number：19338457. E-mail：pgdix@hawecgxk.biz.cn

1108。姓名: 国自先

住址（家庭）：中国上海市静安区俊铁路 205 号葛冠公寓 22 层 232 室（邮政编码：765525）。联系电话：41272515。电子邮箱：goesw@kmxgsuho.cn

Zhù zhǐ: Guó Zì Xiān Zhōng Guó Shànghǎi Shì Jìngān Qū Jùn Fū Lù 205 Hào Gé Guàn Gōng Yù 22 Céng 232 Shì (Yóuzhèng Biānmǎ：765525). Liánxì Diànhuà：41272515. Diànzǐ Yóuxiāng：goesw@kmxgsuho.cn

Zi Xian Guo, Room# 232, Floor# 22, Ge Guan Apartment, 205 Jun Fu Road, Jingan District, Shanghai, China. Postal Code: 765525. Phone Number：41272515. E-mail：goesw@kmxgsuho.cn

1109。姓名: 牛守秀

住址（公共汽车站）：中国上海市崇明区顺白路 466 号圣仲站（邮政编码：984986）。联系电话：62676909。电子邮箱：bntlm@ceaivoln.transport.cn

Zhù zhǐ: Niú Shǒu Xiù Zhōng Guó Shànghǎi Shì Chóngmíng Qū Shùn Bái Lù 466 Hào Shèng Zhòng Zhàn (Yóuzhèng Biānmǎ：984986). Liánxì Diànhuà：62676909. Diànzǐ Yóuxiāng：bntlm@ceaivoln.transport.cn

Shou Xiu Niu, Sheng Zhong Bus Station, 466 Shun Bai Road, Chongming District, Shanghai, China. Postal Code: 984986. Phone Number：62676909. E-mail：bntlm@ceaivoln.transport.cn

1110。姓名: 申斌全

住址（湖泊）：中国上海市普陀区强发路 416 号福帆湖（邮政编码：481431）。联系电话：89222226。电子邮箱：pnjiy@hzmscpeu.lakes.cn

Zhù zhǐ: Shēn Bīn Quán Zhōng Guó Shànghǎi Shì Pǔtuó Qū Qiáng Fā Lù 416 Hào Fú Fān Hú (Yóuzhèng Biānmǎ：481431). Liánxì Diànhuà：89222226. Diànzǐ Yóuxiāng：pnjiy@hzmscpeu.lakes.cn

Bin Quan Shen, Fu Fan Lake, 416 Qiang Fa Road, Putuo District, Shanghai, China. Postal Code: 481431. Phone Number：89222226. E-mail：pnjiy@hzmscpeu.lakes.cn

CHAPTER 3: NAME, SURNAME & ADDRESSES (61-90)

1111。姓名: 扈葛南

住址（医院）：中国上海市浦东新区冠队路 921 号友陆医院（邮政编码：765051）。联系电话：80486808。电子邮箱：feokz@bifjstza.health.cn

Zhù zhǐ: Hù Gé Nán Zhōng Guó Shànghǎi Shì Pǔdōng Xīnqū Guān Duì Lù 921 Hào Yǒu Lù Yī Yuàn (Yóuzhèng Biānmǎ：765051). Liánxì Diànhuà：80486808. Diànzǐ Yóuxiāng：feokz@bifjstza.health.cn

Ge Nan Hu, You Lu Hospital, 921 Guan Dui Road, Pudong New Area, Shanghai, China. Postal Code: 765051. Phone Number：80486808. E-mail：feokz@bifjstza.health.cn

1112。姓名: 彭桥金

住址（大学）：中国上海市普陀区铭辙大学翰威路 487 号（邮政编码：760752）。联系电话：97337037。电子邮箱：ptbzi@eolsjwha.edu.cn

Zhù zhǐ: Péng Qiáo Jīn Zhōng Guó Shànghǎi Shì Pǔtuó Qū Míng Zhé DàxuéHàn Wēi Lù 487 Hào (Yóuzhèng Biānmǎ：760752). Liánxì Diànhuà：97337037. Diànzǐ Yóuxiāng：ptbzi@eolsjwha.edu.cn

Qiao Jin Peng, Ming Zhe University, 487 Han Wei Road, Putuo District, Shanghai, China. Postal Code: 760752. Phone Number：97337037. E-mail：ptbzi@eolsjwha.edu.cn

1113。姓名: 吴盛敬

住址（公司）：中国上海市崇明区仓仓路 924 号惟兵有限公司（邮政编码：830959）。联系电话：24329795。电子邮箱：efxik@reptbvah.biz.cn

Zhù zhǐ: Wú Shèng Jìng Zhōng Guó Shànghǎi Shì Chóngmíng Qū Cāng Cāng Lù 924 Hào Wéi Bīng Yǒuxiàn Gōngsī (Yóuzhèng Biānmǎ：830959). Liánxì Diànhuà：24329795. Diànzǐ Yóuxiāng：efxik@reptbvah.biz.cn

Sheng Jing Wu, Wei Bing Corporation, 924 Cang Cang Road, Chongming District, Shanghai, China. Postal Code: 830959. Phone Number：24329795. E-mail：efxik@reptbvah.biz.cn

1114。姓名: 林甫铁

住址（公司）：中国上海市奉贤区茂葛路 714 号圣阳有限公司（邮政编码：386221）。联系电话：91477714。电子邮箱：wclqi@phqjxagl.biz.cn

Zhù zhǐ: Lín Fǔ Fū Zhōng Guó Shànghǎi Shì Fèngxián Qū Mào Gé Lù 714 Hào Shèng Yáng Yǒuxiàn Gōngsī (Yóuzhèng Biānmǎ：386221). Liánxì Diànhuà：91477714. Diànzǐ Yóuxiāng：wclqi@phqjxagl.biz.cn

Fu Fu Lin, Sheng Yang Corporation, 714 Mao Ge Road, Fengxian District, Shanghai, China. Postal Code: 386221. Phone Number：91477714. E-mail：wclqi@phqjxagl.biz.cn

1115。姓名: 鄢昌南

住址（机场）：中国上海市长宁区帆居路 788 号上海民白国际机场（邮政编码：531457）。联系电话：67983583。电子邮箱：rxwhs@ezdqoplx.airports.cn

Zhù zhǐ: Yān Chāng Nán Zhōng Guó Shànghǎi Shì Zhǎngníng Qū Fān Jū Lù 788 Hào àngǎi Mín Bái Guó Jì Jī Chǎng (Yóuzhèng Biānmǎ：531457). Liánxì Diànhuà：67983583. Diànzǐ Yóuxiāng：rxwhs@ezdqoplx.airports.cn

Chang Nan Yan, Shanghai Min Bai International Airport, 788 Fan Ju Road, Changning District, Shanghai, China. Postal Code: 531457. Phone Number：67983583. E-mail：rxwhs@ezdqoplx.airports.cn

1116。姓名: 谈队计

住址（湖泊）：中国上海市徐汇区翼鹤路 452 号仓龙湖（邮政编码：962529）。联系电话：89713890。电子邮箱：yqnbj@cwbsotmx.lakes.cn

Zhù zhǐ: Tán Duì Jì Zhōng Guó Shànghǎi Shì Xúhuì Qū Yì Hè Lù 452 Hào Cāng Lóng Hú (Yóuzhèng Biānmǎ: 962529). Liánxì Diànhuà: 89713890. Diànzǐ Yóuxiāng: yqnbj@cwbsotmx.lakes.cn

Dui Ji Tan, Cang Long Lake, 452 Yi He Road, Xuhui District, Shanghai, China. Postal Code: 962529. Phone Number: 89713890. E-mail: yqnbj@cwbsotmx.lakes.cn

1117。姓名: 鄂居全

住址（湖泊）：中国上海市长宁区科王路 299 号计阳湖（邮政编码：302066）。联系电话：13587025。电子邮箱：pzgil@yhlufrzo.lakes.cn

Zhù zhǐ: È Jū Quán Zhōng Guó Shànghǎi Shì Zhǎngníng Qū Kē Wáng Lù 299 Hào Jì Yáng Hú (Yóuzhèng Biānmǎ: 302066). Liánxì Diànhuà: 13587025. Diànzǐ Yóuxiāng: pzgil@yhlufrzo.lakes.cn

Ju Quan E, Ji Yang Lake, 299 Ke Wang Road, Changning District, Shanghai, China. Postal Code: 302066. Phone Number: 13587025. E-mail: pzgil@yhlufrzo.lakes.cn

1118。姓名: 融焯盛

住址（机场）：中国上海市松江区盛奎路 746 号上海葛柱国际机场（邮政编码：554737）。联系电话：55568914。电子邮箱：ufcva@poxugslk.airports.cn

Zhù zhǐ: Róng Chāo Shèng Zhōng Guó Shànghǎi Shì Sōngjiāng Qū Shèng Kuí Lù 746 Hào àngǎi Gé Zhù Guó Jì Jī Chǎng (Yóuzhèng Biānmǎ: 554737). Liánxì Diànhuà: 55568914. Diànzǐ Yóuxiāng: ufcva@poxugslk.airports.cn

Chao Sheng Rong, Shanghai Ge Zhu International Airport, 746 Sheng Kui Road, Songjiang District, Shanghai, China. Postal Code: 554737. Phone Number: 55568914. E-mail: ufcva@poxugslk.airports.cn

1119。姓名: 卢居兵

住址（机场）：中国上海市普陀区独歧路 673 号上海愈土国际机场（邮政编码：598596）。联系电话：88053823。电子邮箱：oizfg@fodtkqhl.airports.cn

Zhù zhǐ: Lú Jū Bīng Zhōng Guó Shànghǎi Shì Pǔtuó Qū Dú Qí Lù 673 Hào àngǎi Yù Tǔ Guó Jì Jī Chǎng（Yóuzhèng Biānmǎ：598596). Liánxì Diànhuà：88053823. Diànzǐ Yóuxiāng：oizfg@fodtkqhl.airports.cn

Ju Bing Lu, Shanghai Yu Tu International Airport, 673 Du Qi Road, Putuo District, Shanghai, China. Postal Code: 598596. Phone Number：88053823. E-mail：oizfg@fodtkqhl.airports.cn

1120。姓名: 燕民焯

住址（公司）：中国上海市金山区焯胜路 707 号舟祥有限公司（邮政编码：355218）。联系电话：61578273。电子邮箱：rcewx@iedtpkag.biz.cn

Zhù zhǐ: Yān Mín Chāo Zhōng Guó Shànghǎi Shì Jīnshān Qū Chāo Shēng Lù 707 Hào Zhōu Xiáng Yǒuxiàn Gōngsī（Yóuzhèng Biānmǎ：355218). Liánxì Diànhuà：61578273. Diànzǐ Yóuxiāng：rcewx@iedtpkag.biz.cn

Min Chao Yan, Zhou Xiang Corporation, 707 Chao Sheng Road, Jinshan District, Shanghai, China. Postal Code: 355218. Phone Number：61578273. E-mail：rcewx@iedtpkag.biz.cn

1121。姓名: 步立食

住址（公共汽车站）：中国上海市长宁区仓员路 337 号波黎站（邮政编码：209050）。联系电话：72648412。电子邮箱：kgyox@aupgkdvz.transport.cn

Zhù zhǐ: Bù Lì Shí Zhōng Guó Shànghǎi Shì Zhǎngníng Qū Cāng Yuán Lù 337 Hào Bō Lí Zhàn（Yóuzhèng Biānmǎ：209050). Liánxì Diànhuà：72648412. Diànzǐ Yóuxiāng：kgyox@aupgkdvz.transport.cn

Li Shi Bu, Bo Li Bus Station, 337 Cang Yuan Road, Changning District, Shanghai, China. Postal Code: 209050. Phone Number：72648412. E-mail：kgyox@aupgkdvz.transport.cn

1122。姓名: 车山斌

住址（大学）：中国上海市金山区振渊大学守铭路 283 号（邮政编码：216835）。联系电话：52069027。电子邮箱：khuxb@gqhudevp.edu.cn

Zhù zhǐ: Chē Shān Bīn Zhōng Guó Shànghǎi Shì Jīnshān Qū Zhèn Yuān DàxuéShǒu Míng Lù 283 Hào（Yóuzhèng Biānmǎ：216835). Liánxì Diànhuà：52069027. Diànzǐ Yóuxiāng：khuxb@gqhudevp.edu.cn

Shan Bin Che, Zhen Yuan University, 283 Shou Ming Road, Jinshan District, Shanghai, China. Postal Code: 216835. Phone Number：52069027. E-mail：khuxb@gqhudevp.edu.cn

1123。姓名: 卞振寰

住址（大学）：中国上海市宝山区恩人大学帆易路 782 号（邮政编码：569272）。联系电话：31887350。电子邮箱：axngk@tywpszof.edu.cn

Zhù zhǐ: Biàn Zhèn Huán Zhōng Guó Shànghǎi Shì Bǎoshān Qū Ēn Rén DàxuéFān Yì Lù 782 Hào（Yóuzhèng Biānmǎ：569272). Liánxì Diànhuà：31887350. Diànzǐ Yóuxiāng：axngk@tywpszof.edu.cn

Zhen Huan Bian, En Ren University, 782 Fan Yi Road, Baoshan District, Shanghai, China. Postal Code: 569272. Phone Number：31887350. E-mail：axngk@tywpszof.edu.cn

1124。姓名: 有坤沛

住址（酒店）：中国上海市浦东新区友智路 493 号可原酒店（邮政编码：282913）。联系电话：66046915。电子邮箱：consh@ijhtnvqo.biz.cn

Zhù zhǐ: Yǒu Kūn Pèi Zhōng Guó Shànghǎi Shì Pǔdōng Xīnqū Yǒu Zhì Lù 493 Hào Kě Yuán Jiǔ Diàn（Yóuzhèng Biānmǎ：282913). Liánxì Diànhuà：66046915. Diànzǐ Yóuxiāng：consh@ijhtnvqo.biz.cn

Kun Pei You, Ke Yuan Hotel, 493 You Zhi Road, Pudong New Area, Shanghai, China. Postal Code: 282913. Phone Number：66046915. E-mail：consh@ijhtnvqo.biz.cn

1125。姓名: 田仓盛

住址（公司）：中国上海市长宁区毅民路 562 号阳可有限公司（邮政编码：505436）。联系电话：36623346。电子邮箱：yauve@wxjgviuz.biz.cn

Zhù zhǐ: Tián Cāng Shèng Zhōng Guó Shànghǎi Shì Zhǎngníng Qū Yì Mín Lù 562 Hào Yáng Kě Yǒuxiàn Gōngsī（Yóuzhèng Biānmǎ：505436). Liánxì Diànhuà：36623346. Diànzǐ Yóuxiāng：yauve@wxjgviuz.biz.cn

Cang Sheng Tian, Yang Ke Corporation, 562 Yi Min Road, Changning District, Shanghai, China. Postal Code: 505436. Phone Number：36623346. E-mail：yauve@wxjgviuz.biz.cn

1126。姓名: 瞿轶稼

住址（医院）：中国上海市闵行区成守路 571 号钊铁医院（邮政编码：625749）。联系电话：62800597。电子邮箱：hjtzv@gdhceuvm.health.cn

Zhù zhǐ: Qú Yì Jià Zhōng Guó Shànghǎi Shì Mǐnxíng Qū Chéng Shǒu Lù 571 Hào Zhāo Tiě Yī Yuàn（Yóuzhèng Biānmǎ：625749). Liánxì Diànhuà：62800597. Diànzǐ Yóuxiāng：hjtzv@gdhceuvm.health.cn

Yi Jia Qu, Zhao Tie Hospital, 571 Cheng Shou Road, Minhang District, Shanghai, China. Postal Code: 625749. Phone Number：62800597. E-mail：hjtzv@gdhceuvm.health.cn

1127。姓名: 冷源铁

住址（寺庙）：中国上海市长宁区禹钢路 897 号屹冠寺（邮政编码：266691）。联系电话：73793006。电子邮箱：nfbmd@brxhegjf.god.cn

Zhù zhǐ: Lěng Yuán Tiě Zhōng Guó Shànghǎi Shì Zhǎngníng Qū Yǔ Gāng Lù 897 Hào Yì Guàn Sì (Yóuzhèng Biānmǎ: 266691). Liánxì Diànhuà: 73793006. Diànzǐ Yóuxiāng: nfbmd@brxhegjf.god.cn

Yuan Tie Leng, Yi Guan Temple, 897 Yu Gang Road, Changning District, Shanghai, China. Postal Code: 266691. Phone Number: 73793006. E-mail: nfbmd@brxhegjf.god.cn

1128。姓名: 杜领轶

住址（火车站）：中国上海市黄浦区学智路 725 号上海站（邮政编码：133931）。联系电话：28003883。电子邮箱：kxsqb@xtldygou.chr.cn

Zhù zhǐ: Dù Lǐng Yì Zhōng Guó Shànghǎi Shì Huángpǔ Qū Xué Zhì Lù 725 Hào àngǎi Zhàn (Yóuzhèng Biānmǎ: 133931). Liánxì Diànhuà: 28003883. Diànzǐ Yóuxiāng: kxsqb@xtldygou.chr.cn

Ling Yi Du, Shanghai Railway Station, 725 Xue Zhi Road, Huangpu District, Shanghai, China. Postal Code: 133931. Phone Number: 28003883. E-mail: kxsqb@xtldygou.chr.cn

1129。姓名: 卞焯秀

住址（公司）：中国上海市崇明区原愈路 975 号冠光有限公司（邮政编码：866699）。联系电话：97009486。电子邮箱：gudsf@vctjykhd.biz.cn

Zhù zhǐ: Biàn Chāo Xiù Zhōng Guó Shànghǎi Shì Chóngmíng Qū Yuán Yù Lù 975 Hào Guàn Guāng Yǒuxiàn Gōngsī (Yóuzhèng Biānmǎ: 866699). Liánxì Diànhuà: 97009486. Diànzǐ Yóuxiāng: gudsf@vctjykhd.biz.cn

Chao Xiu Bian, Guan Guang Corporation, 975 Yuan Yu Road, Chongming District, Shanghai, China. Postal Code: 866699. Phone Number: 97009486. E-mail: gudsf@vctjykhd.biz.cn

1130。姓名: 路先歧

住址（公共汽车站）：中国上海市杨浦区辉隆路 216 号锤迅站（邮政编码：818199）。联系电话：49168624。电子邮箱：iswpb@pagvneoc.transport.cn

Zhù zhǐ: Lù Xiān Qí Zhōng Guó Shànghǎi Shì Yángpǔ Qū Huī Lóng Lù 216 Hào Chuí Xùn Zhàn（Yóuzhèng Biānmǎ：818199）. Liánxì Diànhuà：49168624. Diànzǐ Yóuxiāng：iswpb@pagvneoc.transport.cn

Xian Qi Lu, Chui Xun Bus Station, 216 Hui Long Road, Yangpu District, Shanghai, China. Postal Code: 818199. Phone Number：49168624. E-mail：iswpb@pagvneoc.transport.cn

1131。姓名: 颙孙先坡

住址（大学）：中国上海市普陀区焯勇大学冠钊路 747 号（邮政编码：347832）。联系电话：63509362。电子邮箱：utdkx@ukybdwao.edu.cn

Zhù zhǐ: Zhuānsūn Xiān Pō Zhōng Guó Shànghǎi Shì Pǔtuó Qū Chāo Yǒng DàxuéGuān Zhāo Lù 747 Hào（Yóuzhèng Biānmǎ：347832）. Liánxì Diànhuà：63509362. Diànzǐ Yóuxiāng：utdkx@ukybdwao.edu.cn

Xian Po Zhuansun, Chao Yong University, 747 Guan Zhao Road, Putuo District, Shanghai, China. Postal Code: 347832. Phone Number：63509362. E-mail：utdkx@ukybdwao.edu.cn

1132。姓名: 高乙轼

住址（酒店）：中国上海市松江区陆先路 628 号冠钊酒店（邮政编码：400954）。联系电话：29731694。电子邮箱：zlvca@lrtupahx.biz.cn

Zhù zhǐ: Gāo Yǐ Shì Zhōng Guó Shànghǎi Shì Sōngjiāng Qū Liù Xiān Lù 628 Hào Guān Zhāo Jiǔ Diàn（Yóuzhèng Biānmǎ：400954）. Liánxì Diànhuà：29731694. Diànzǐ Yóuxiāng：zlvca@lrtupahx.biz.cn

Yi Shi Gao, Guan Zhao Hotel, 628 Liu Xian Road, Songjiang District, Shanghai, China. Postal Code: 400954. Phone Number：29731694. E-mail：zlvca@lrtupahx.biz.cn

1133。姓名: 路征黎

住址（公园）：中国上海市徐汇区中盛路 413 号宽锡公园（邮政编码：394599）。联系电话：27547017。电子邮箱：cwpgv@cqfxjwhv.parks.cn

Zhù zhǐ: Lù Zhēng Lí Zhōng Guó Shànghǎi Shì Xúhuì Qū Zhòng Chéng Lù 413 Hào Kuān Xī Gōng Yuán（Yóuzhèng Biānmǎ：394599). Liánxì Diànhuà：27547017. Diànzǐ Yóuxiāng：cwpgv@cqfxjwhv.parks.cn

Zheng Li Lu, Kuan Xi Park, 413 Zhong Cheng Road, Xuhui District, Shanghai, China. Postal Code: 394599. Phone Number：27547017. E-mail：cwpgv@cqfxjwhv.parks.cn

1134。姓名: 禄石己

住址（博物院）：中国上海市崇明区祥刚路 533 号上海博物馆（邮政编码：809052）。联系电话：63271765。电子邮箱：zeumo@yswpotej.museums.cn

Zhù zhǐ: Lù Shí Jǐ Zhōng Guó Shànghǎi Shì Chóngmíng Qū Xiáng Gāng Lù 533 Hào àngǎi Bó Wù Guǎn（Yóuzhèng Biānmǎ：809052). Liánxì Diànhuà：63271765. Diànzǐ Yóuxiāng：zeumo@yswpotej.museums.cn

Shi Ji Lu, Shanghai Museum, 533 Xiang Gang Road, Chongming District, Shanghai, China. Postal Code: 809052. Phone Number：63271765. E-mail：zeumo@yswpotej.museums.cn

1135。姓名: 年毅亭

住址（广场）：中国上海市奉贤区跃彬路 296 号鸣舟广场（邮政编码：290767）。联系电话：37865838。电子邮箱：fmvsa@xsrhwtoa.squares.cn

Zhù zhǐ: Nián Yì Tíng Zhōng Guó Shànghǎi Shì Fèngxián Qū Yuè Bīn Lù 296 Hào Míng Zhōu Guǎng Chǎng（Yóuzhèng Biānmǎ：290767). Liánxì Diànhuà：37865838. Diànzǐ Yóuxiāng：fmvsa@xsrhwtoa.squares.cn

Yi Ting Nian, Ming Zhou Square, 296 Yue Bin Road, Fengxian District, Shanghai, China. Postal Code: 290767. Phone Number：37865838. E-mail：fmvsa@xsrhwtoa.squares.cn

1136。姓名: 鲁圣晗

住址（湖泊）：中国上海市杨浦区强黎路 508 号陆光湖（邮政编码：400435）。联系电话：89315838。电子邮箱：ozptw@obhmeljc.lakes.cn

Zhù zhǐ: Lǔ Shèng Hán Zhōng Guó Shànghǎi Shì Yángpǔ Qū Qiáng Lí Lù 508 Hào Lù Guāng Hú（Yóuzhèng Biānmǎ：400435). Liánxì Diànhuà：89315838. Diànzǐ Yóuxiāng：ozptw@obhmeljc.lakes.cn

Sheng Han Lu, Lu Guang Lake, 508 Qiang Li Road, Yangpu District, Shanghai, China. Postal Code: 400435. Phone Number：89315838. E-mail：ozptw@obhmeljc.lakes.cn

1137。姓名: 明洵茂

住址（火车站）：中国上海市奉贤区不锡路 141 号上海站（邮政编码：690345）。联系电话：93413687。电子邮箱：wvodl@qibrksmw.chr.cn

Zhù zhǐ: Míng Xún Mào Zhōng Guó Shànghǎi Shì Fèngxián Qū Bù Xī Lù 141 Hào àngǎi Zhàn（Yóuzhèng Biānmǎ：690345). Liánxì Diànhuà：93413687. Diànzǐ Yóuxiāng：wvodl@qibrksmw.chr.cn

Xun Mao Ming, Shanghai Railway Station, 141 Bu Xi Road, Fengxian District, Shanghai, China. Postal Code: 690345. Phone Number：93413687. E-mail：wvodl@qibrksmw.chr.cn

1138。姓名: 姬智铁

住址（酒店）：中国上海市黄浦区白龙路 792 号彬陶酒店（邮政编码：713742）。联系电话：63236657。电子邮箱：jokep@pqzblacg.biz.cn

Zhù zhǐ: Jī Zhì Tiě Zhōng Guó Shànghǎi Shì Huángpǔ Qū Bái Lóng Lù 792 Hào Bīn Táo Jiǔ Diàn (Yóuzhèng Biānmǎ: 713742). Liánxì Diànhuà: 63236657. Diànzǐ Yóuxiāng: jokep@pqzblacg.biz.cn

Zhi Tie Ji, Bin Tao Hotel, 792 Bai Long Road, Huangpu District, Shanghai, China. Postal Code: 713742. Phone Number: 63236657. E-mail: jokep@pqzblacg.biz.cn

1139。姓名: 淳于九俊

住址（酒店）：中国上海市金山区盛石路 400 号鹤独酒店（邮政编码：661210）。联系电话：64423246。电子邮箱：pbsli@cjukqapy.biz.cn

Zhù zhǐ: Chúnyú Jiǔ Jùn Zhōng Guó Shànghǎi Shì Jīnshān Qū Chéng Dàn Lù 400 Hào Hè Dú Jiǔ Diàn (Yóuzhèng Biānmǎ: 661210). Liánxì Diànhuà: 64423246. Diànzǐ Yóuxiāng: pbsli@cjukqapy.biz.cn

Jiu Jun Chunyu, He Du Hotel, 400 Cheng Dan Road, Jinshan District, Shanghai, China. Postal Code: 661210. Phone Number: 64423246. E-mail: pbsli@cjukqapy.biz.cn

1140。姓名: 聂豹轼

住址（火车站）：中国上海市松江区近刚路 549 号上海站（邮政编码：772193）。联系电话：85752614。电子邮箱：lmhoj@wzoxakys.chr.cn

Zhù zhǐ: Niè Bào Shì Zhōng Guó Shànghǎi Shì Sōngjiāng Qū Jìn Gāng Lù 549 Hào àngǎi Zhàn (Yóuzhèng Biānmǎ: 772193). Liánxì Diànhuà: 85752614. Diànzǐ Yóuxiāng: lmhoj@wzoxakys.chr.cn

Bao Shi Nie, Shanghai Railway Station, 549 Jin Gang Road, Songjiang District, Shanghai, China. Postal Code: 772193. Phone Number: 85752614. E-mail: lmhoj@wzoxakys.chr.cn

CHAPTER 4: NAME, SURNAME & ADDRESSES (91-120)

1141。姓名: 逢鸣桥

住址（广场）：中国上海市黄浦区员人路 816 号懂钢广场（邮政编码：114624）。联系电话：52758700。电子邮箱：mreiz@eyljxzkn.squares.cn

Zhù zhǐ: Páng Míng Qiáo Zhōng Guó Shànghǎi Shì Huángpǔ Qū Yún Rén Lù 816 Hào Dǒng Gāng Guǎng Chǎng（Yóuzhèng Biānmǎ：114624). Liánxì Diànhuà：52758700. Diànzǐ Yóuxiāng：mreiz@eyljxzkn.squares.cn

Ming Qiao Pang, Dong Gang Square, 816 Yun Ren Road, Huangpu District, Shanghai, China. Postal Code: 114624. Phone Number：52758700. E-mail：mreiz@eyljxzkn.squares.cn

1142。姓名: 秦愈辙

住址（家庭）：中国上海市青浦区食征路 358 号胜豪公寓 8 层 399 室（邮政编码：166546）。联系电话：95413407。电子邮箱：vyuif@smwdutoy.cn

Zhù zhǐ: Qín Yù Zhé Zhōng Guó Shànghǎi Shì Qīngpǔ Qū Sì Zhēng Lù 358 Hào Shēng Háo Gōng Yù 8 Céng 399 Shì（Yóuzhèng Biānmǎ：166546). Liánxì Diànhuà：95413407. Diànzǐ Yóuxiāng：vyuif@smwdutoy.cn

Yu Zhe Qin, Room# 399, Floor# 8, Sheng Hao Apartment, 358 Si Zheng Road, Qingpu District, Shanghai, China. Postal Code: 166546. Phone Number：95413407. E-mail：vyuif@smwdutoy.cn

1143。姓名: 庄化学

住址（公园）：中国上海市闵行区陶愈路 982 号国跃公园（邮政编码：340352）。联系电话：49899915。电子邮箱：cagnk@utjepxhv.parks.cn

Zhù zhǐ: Zhuāng Huà Xué Zhōng Guó Shànghǎi Shì Mǐnxíng Qū Táo Yù Lù 982 Hào Guó Yuè Gōng Yuán（Yóuzhèng Biānmǎ：340352). Liánxì Diànhuà：49899915. Diànzǐ Yóuxiāng：cagnk@utjepxhv.parks.cn

Hua Xue Zhuang, Guo Yue Park, 982 Tao Yu Road, Minhang District, Shanghai, China. Postal Code: 340352. Phone Number：49899915. E-mail：cagnk@utjepxhv.parks.cn

1144。姓名: 宗政柱俊

住址（公司）：中国上海市闵行区龙阳路 401 号成禹有限公司（邮政编码：378452）。联系电话：35253108。电子邮箱：whaud@egryopcb.biz.cn

Zhù zhǐ: Zōngzhèng Zhù Jùn Zhōng Guó Shànghǎi Shì Mǐnxíng Qū Lóng Yáng Lù 401 Hào Chéng Yǔ Yǒuxiàn Gōngsī (Yóuzhèng Biānmǎ：378452). Liánxì Diànhuà：35253108. Diànzǐ Yóuxiāng：whaud@egryopcb.biz.cn

Zhu Jun Zongzheng, Cheng Yu Corporation, 401 Long Yang Road, Minhang District, Shanghai, China. Postal Code: 378452. Phone Number：35253108. E-mail：whaud@egryopcb.biz.cn

1145。姓名: 欧阳钦守

住址（公司）：中国上海市嘉定区锡化路 896 号奎振有限公司（邮政编码：640345）。联系电话：62971994。电子邮箱：smhjx@akvpxlns.biz.cn

Zhù zhǐ: Ōuyáng Qīn Shǒu Zhōng Guó Shànghǎi Shì Jiādìng Qū Xī Huā Lù 896 Hào Kuí Zhèn Yǒuxiàn Gōngsī (Yóuzhèng Biānmǎ：640345). Liánxì Diànhuà：62971994. Diànzǐ Yóuxiāng：smhjx@akvpxlns.biz.cn

Qin Shou Ouyang, Kui Zhen Corporation, 896 Xi Hua Road, Jiading District, Shanghai, China. Postal Code: 640345. Phone Number：62971994. E-mail：smhjx@akvpxlns.biz.cn

1146。姓名: 吉骥愈

住址（机场）：中国上海市宝山区山队路 148 号上海稼化国际机场（邮政编码：763100）。联系电话：90246872。电子邮箱：tbpme@aokvsfbw.airports.cn

Zhù zhǐ: Jí Jì Yù Zhōng Guó Shànghǎi Shì Bǎoshān Qū Shān Duì Lù 148 Hào àngǎi Jià Huā Guó Jì Jī Chǎng (Yóuzhèng Biānmǎ： 763100). Liánxì Diànhuà： 90246872. Diànzǐ Yóuxiāng：tbpme@aokvsfbw.airports.cn

Ji Yu Ji, Shanghai Jia Hua International Airport, 148 Shan Dui Road, Baoshan District, Shanghai, China. Postal Code: 763100. Phone Number：90246872. E-mail：tbpme@aokvsfbw.airports.cn

1147。姓名: 任大发

住址（寺庙）：中国上海市黄浦区先恩路 999 号奎渊寺（邮政编码：677665）。联系电话：12251049。电子邮箱：aqwfu@clwfajgr.god.cn

Zhù zhǐ: Rèn Dài Fā Zhōng Guó Shànghǎi Shì Huángpǔ Qū Xiān Ēn Lù 999 Hào Kuí Yuān Sì (Yóuzhèng Biānmǎ： 677665). Liánxì Diànhuà： 12251049. Diànzǐ Yóuxiāng： aqwfu@clwfajgr.god.cn

Dai Fa Ren, Kui Yuan Temple, 999 Xian En Road, Huangpu District, Shanghai, China. Postal Code: 677665. Phone Number：12251049. E-mail：aqwfu@clwfajgr.god.cn

1148。姓名: 滕先黎

住址（酒店）：中国上海市金山区陆伦路 392 号稼继酒店（邮政编码：347430）。联系电话：36355030。电子邮箱：jtnic@iyvuapho.biz.cn

Zhù zhǐ: Téng Xiān Lí Zhōng Guó Shànghǎi Shì Jīnshān Qū Lù Lún Lù 392 Hào Jià Jì Jiǔ Diàn (Yóuzhèng Biānmǎ： 347430). Liánxì Diànhuà： 36355030. Diànzǐ Yóuxiāng： jtnic@iyvuapho.biz.cn

Xian Li Teng, Jia Ji Hotel, 392 Lu Lun Road, Jinshan District, Shanghai, China. Postal Code: 347430. Phone Number：36355030. E-mail：jtnic@iyvuapho.biz.cn

1149。姓名: 蒙计钊

住址（公共汽车站）：中国上海市静安区涛帆路 604 号其翰站（邮政编码：357593）。联系电话：67439683。电子邮箱：ykipc@puxontev.transport.cn

Zhù zhǐ: Méng Jì Zhāo Zhōng Guó Shànghǎi Shì Jìngān Qū Tāo Fān Lù 604 Hào Qí Hàn Zhàn （Yóuzhèng Biānmǎ：357593). Liánxì Diànhuà：67439683. Diànzǐ Yóuxiāng：ykipc@puxontev.transport.cn

Ji Zhao Meng, Qi Han Bus Station, 604 Tao Fan Road, Jingan District, Shanghai, China. Postal Code: 357593. Phone Number：67439683. E-mail：ykipc@puxontev.transport.cn

1150。姓名: 曹福员

住址（公司）：中国上海市宝山区斌盛路 747 号科豪有限公司（邮政编码：442266）。联系电话：70173778。电子邮箱：evqfj@zurnxpdg.biz.cn

Zhù zhǐ: Cáo Fú Yún Zhōng Guó Shànghǎi Shì Bǎoshān Qū Bīn Chéng Lù 747 Hào Kē Háo Yǒuxiàn Gōngsī （Yóuzhèng Biānmǎ：442266). Liánxì Diànhuà：70173778. Diànzǐ Yóuxiāng：evqfj@zurnxpdg.biz.cn

Fu Yun Cao, Ke Hao Corporation, 747 Bin Cheng Road, Baoshan District, Shanghai, China. Postal Code: 442266. Phone Number：70173778. E-mail：evqfj@zurnxpdg.biz.cn

1151。姓名: 房陆友

住址（广场）：中国上海市静安区智辙路 254 号稼独广场（邮政编码：627040）。联系电话：40608386。电子邮箱：vjefp@wpfuvbxg.squares.cn

Zhù zhǐ: Fáng Lù Yǒu Zhōng Guó Shànghǎi Shì Jìngān Qū Zhì Zhé Lù 254 Hào Jià Dú Guǎng Chǎng （Yóuzhèng Biānmǎ：627040). Liánxì Diànhuà：40608386. Diànzǐ Yóuxiāng：vjefp@wpfuvbxg.squares.cn

Lu You Fang, Jia Du Square, 254 Zhi Zhe Road, Jingan District, Shanghai, China. Postal Code: 627040. Phone Number：40608386. E-mail：vjefp@wpfuvbxg.squares.cn

1152。姓名: 全宽中

住址（公共汽车站）：中国上海市嘉定区坚洵路 621 号泽食站（邮政编码：207760）。联系电话：25477148。电子邮箱：uqepw@bsvdatfr.transport.cn

Zhù zhǐ: Quán Kuān Zhòng Zhōng Guó Shànghǎi Shì Jiādìng Qū Jiān Xún Lù 621 Hào Zé Sì Zhàn（Yóuzhèng Biānmǎ：207760). Liánxì Diànhuà：25477148. Diànzǐ Yóuxiāng：uqepw@bsvdatfr.transport.cn

Kuan Zhong Quan, Ze Si Bus Station, 621 Jian Xun Road, Jiading District, Shanghai, China. Postal Code: 207760. Phone Number：25477148. E-mail：uqepw@bsvdatfr.transport.cn

1153。姓名: 俞九红

住址（机场）：中国上海市徐汇区征兆路 297 号上海强来国际机场（邮政编码：752301）。联系电话：80626549。电子邮箱：vgihe@pmfhkugw.airports.cn

Zhù zhǐ: Yú Jiǔ Hóng Zhōng Guó Shànghǎi Shì Xúhuì Qū Zhēng Zhào Lù 297 Hào àngǎi Qiǎng Lái Guó Jì Jī Chǎng（Yóuzhèng Biānmǎ：752301). Liánxì Diànhuà：80626549. Diànzǐ Yóuxiāng：vgihe@pmfhkugw.airports.cn

Jiu Hong Yu, Shanghai Qiang Lai International Airport, 297 Zheng Zhao Road, Xuhui District, Shanghai, China. Postal Code: 752301. Phone Number：80626549. E-mail：vgihe@pmfhkugw.airports.cn

1154。姓名: 封风顺

住址（公园）：中国上海市普陀区禹九路 859 号铁来公园（邮政编码：790776）。联系电话：72312307。电子邮箱：ocspv@gvwimlcp.parks.cn

Zhù zhǐ: Fēng Fēng Shùn Zhōng Guó Shànghǎi Shì Pǔtuó Qū Yǔ Jiǔ Lù 859 Hào Fū Lái Gōng Yuán（Yóuzhèng Biānmǎ：790776). Liánxì Diànhuà：72312307. Diànzǐ Yóuxiāng：ocspv@gvwimlcp.parks.cn

Feng Shun Feng, Fu Lai Park, 859 Yu Jiu Road, Putuo District, Shanghai, China. Postal Code: 790776. Phone Number：72312307. E-mail：ocspv@gvwimlcp.parks.cn

1155。姓名: 袁其葆

住址（公司）：中国上海市虹口区亚洵路 201 号化发有限公司（邮政编码：995435）。联系电话：39567711。电子邮箱：ynour@pabjdrnv.biz.cn

Zhù zhǐ: Yuán Qí Bǎo Zhōng Guó Shànghǎi Shì Hóngkǒu Qū Yà Xún Lù 201 Hào Huà Fā Yǒuxiàn Gōngsī (Yóuzhèng Biānmǎ：995435). Liánxì Diànhuà：39567711. Diànzǐ Yóuxiāng：ynour@pabjdrnv.biz.cn

Qi Bao Yuan, Hua Fa Corporation, 201 Ya Xun Road, Hongkou District, Shanghai, China. Postal Code: 995435. Phone Number：39567711. E-mail：ynour@pabjdrnv.biz.cn

1156。姓名: 郁钦守

住址（公共汽车站）：中国上海市崇明区亚陆路 346 号坚白站（邮政编码：870293）。联系电话：93291932。电子邮箱：ktamf@pcbeojux.transport.cn

Zhù zhǐ: Yù Qīn Shǒu Zhōng Guó Shànghǎi Shì Chóngmíng Qū Yà Lù Lù 346 Hào Jiān Bái Zhàn (Yóuzhèng Biānmǎ：870293). Liánxì Diànhuà：93291932. Diànzǐ Yóuxiāng：ktamf@pcbeojux.transport.cn

Qin Shou Yu, Jian Bai Bus Station, 346 Ya Lu Road, Chongming District, Shanghai, China. Postal Code: 870293. Phone Number：93291932. E-mail：ktamf@pcbeojux.transport.cn

1157。姓名: 寇国兵

住址（广场）：中国上海市青浦区维伦路 729 号珏成广场（邮政编码：236547）。联系电话：85401085。电子邮箱：vmhbw@hesndcwl.squares.cn

Zhù zhǐ: Kòu Guó Bīng Zhōng Guó Shànghǎi Shì Qīngpǔ Qū Wéi Lún Lù 729 Hào Jué Chéng Guǎng Chǎng (Yóuzhèng Biānmǎ：236547). Liánxì Diànhuà：85401085. Diànzǐ Yóuxiāng：vmhbw@hesndcwl.squares.cn

Guo Bing Kou, Jue Cheng Square, 729 Wei Lun Road, Qingpu District, Shanghai, China. Postal Code: 236547. Phone Number：85401085. E-mail：vmhbw@hesndcwl.squares.cn

1158。姓名: 费独跃

住址（酒店）：中国上海市杨浦区顺译路 700 号钢渊酒店（邮政编码：254151）。联系电话：22305778。电子邮箱：vbloj@ijebrzvn.biz.cn

Zhù zhǐ: Fèi Dú Yuè Zhōng Guó Shànghǎi Shì Yángpǔ Qū Shùn Yì Lù 700 Hào Gāng Yuān Jiǔ Diàn (Yóuzhèng Biānmǎ：254151). Liánxì Diànhuà：22305778. Diànzǐ Yóuxiāng：vbloj@ijebrzvn.biz.cn

Du Yue Fei, Gang Yuan Hotel, 700 Shun Yi Road, Yangpu District, Shanghai, China. Postal Code: 254151. Phone Number：22305778. E-mail：vbloj@ijebrzvn.biz.cn

1159。姓名: 巢不晖

住址（博物院）：中国上海市嘉定区宽际路 171 号上海博物馆（邮政编码：452117）。联系电话：92093461。电子邮箱：oqgxe@rcwtlsgq.museums.cn

Zhù zhǐ: Cháo Bù Huī Zhōng Guó Shànghǎi Shì Jiādìng Qū Kuān Jì Lù 171 Hào àngǎi Bó Wù Guǎn (Yóuzhèng Biānmǎ：452117). Liánxì Diànhuà：92093461. Diànzǐ Yóuxiāng：oqgxe@rcwtlsgq.museums.cn

Bu Hui Chao, Shanghai Museum, 171 Kuan Ji Road, Jiading District, Shanghai, China. Postal Code: 452117. Phone Number：92093461. E-mail：oqgxe@rcwtlsgq.museums.cn

1160。姓名: 淳于福亮

住址（广场）：中国上海市松江区食石路 362 号愈坚广场（邮政编码：274068）。联系电话：24001326。电子邮箱：qinsm@zaujhrci.squares.cn

Zhù zhǐ: Chúnyú Fú Liàng Zhōng Guó Shànghǎi Shì Sōngjiāng Qū Shí Dàn Lù 362 Hào Yù Jiān Guǎng Chǎng (Yóuzhèng Biānmǎ: 274068). Liánxì Diànhuà: 24001326. Diànzǐ Yóuxiāng: qinsm@zaujhrci.squares.cn

Fu Liang Chunyu, Yu Jian Square, 362 Shi Dan Road, Songjiang District, Shanghai, China. Postal Code: 274068. Phone Number: 24001326. E-mail: qinsm@zaujhrci.squares.cn

1161。姓名: 滑俊甫

住址（火车站）：中国上海市黄浦区亚中路 281 号上海站（邮政编码：296826）。联系电话：55612631。电子邮箱：tvudq@rdvbmhog.chr.cn

Zhù zhǐ: Huá Jùn Fǔ Zhōng Guó Shànghǎi Shì Huángpǔ Qū Yà Zhōng Lù 281 Hào àngǎi Zhàn (Yóuzhèng Biānmǎ: 296826). Liánxì Diànhuà: 55612631. Diànzǐ Yóuxiāng: tvudq@rdvbmhog.chr.cn

Jun Fu Hua, Shanghai Railway Station, 281 Ya Zhong Road, Huangpu District, Shanghai, China. Postal Code: 296826. Phone Number: 55612631. E-mail: tvudq@rdvbmhog.chr.cn

1162。姓名: 邰阳亚

住址（公共汽车站）：中国上海市宝山区稼领路 485 号寰圣站（邮政编码：741688）。联系电话：48089662。电子邮箱：rgnxj@irjmdcyx.transport.cn

Zhù zhǐ: Tái Yáng Yà Zhōng Guó Shànghǎi Shì Bǎoshān Qū Jià Lǐng Lù 485 Hào Huán Shèng Zhàn (Yóuzhèng Biānmǎ: 741688). Liánxì Diànhuà: 48089662. Diànzǐ Yóuxiāng: rgnxj@irjmdcyx.transport.cn

Yang Ya Tai, Huan Sheng Bus Station, 485 Jia Ling Road, Baoshan District, Shanghai, China. Postal Code: 741688. Phone Number: 48089662. E-mail: rgnxj@irjmdcyx.transport.cn

1163。姓名: 安先食

住址（公司）：中国上海市虹口区勇风路 767 号茂冠有限公司（邮政编码：310469）。联系电话：47713477。电子邮箱：bdare@raibcqxn.biz.cn

Zhù zhǐ: Ān Xiān Sì Zhōng Guó Shànghǎi Shì Hóngkǒu Qū Yǒng Fēng Lù 767 Hào Mào Guān Yǒuxiàn Gōngsī (Yóuzhèng Biānmǎ：310469). Liánxì Diànhuà：47713477. Diànzǐ Yóuxiāng： bdare@raibcqxn.biz.cn

Xian Si An, Mao Guan Corporation, 767 Yong Feng Road, Hongkou District, Shanghai, China. Postal Code: 310469. Phone Number：47713477. E-mail：bdare@raibcqxn.biz.cn

1164。姓名: 贲仓骥

住址（公园）：中国上海市长宁区磊大路 819 号土愈公园（邮政编码：975795）。联系电话：52782046。电子邮箱：mhviz@scvjlewp.parks.cn

Zhù zhǐ: Bēn Cāng Jì Zhōng Guó Shànghǎi Shì Zhǎngníng Qū Lěi Dà Lù 819 Hào Tǔ Yù Gōng Yuán (Yóuzhèng Biānmǎ：975795). Liánxì Diànhuà：52782046. Diànzǐ Yóuxiāng： mhviz@scvjlewp.parks.cn

Cang Ji Ben, Tu Yu Park, 819 Lei Da Road, Changning District, Shanghai, China. Postal Code: 975795. Phone Number：52782046. E-mail：mhviz@scvjlewp.parks.cn

1165。姓名: 贡翼福

住址（湖泊）：中国上海市崇明区乐亚路 601 号启珏湖（邮政编码：822803）。联系电话：21128652。电子邮箱：cnbid@hlbdtrqz.lakes.cn

Zhù zhǐ: Gòng Yì Fú Zhōng Guó Shànghǎi Shì Chóngmíng Qū Lè Yà Lù 601 Hào Qǐ Jué Hú (Yóuzhèng Biānmǎ：822803). Liánxì Diànhuà：21128652. Diànzǐ Yóuxiāng：cnbid@hlbdtrqz.lakes.cn

Yi Fu Gong, Qi Jue Lake, 601 Le Ya Road, Chongming District, Shanghai, China. Postal Code: 822803. Phone Number：21128652. E-mail：cnbid@hlbdtrqz.lakes.cn

1166。姓名: 红隆庆

住址（大学）：中国上海市普陀区水翼大学德征路 719 号（邮政编码：488182）。联系电话：78637207。电子邮箱：phaun@gohfuawc.edu.cn

Zhù zhǐ: Hóng Lóng Qìng Zhōng Guó Shànghǎi Shì Pǔtuó Qū Shuǐ Yì DàxuéDé Zhēng Lù 719 Hào（Yóuzhèng Biānmǎ：488182). Liánxì Diànhuà：78637207. Diànzǐ Yóuxiāng：phaun@gohfuawc.edu.cn

Long Qing Hong, Shui Yi University, 719 De Zheng Road, Putuo District, Shanghai, China. Postal Code: 488182. Phone Number：78637207. E-mail：phaun@gohfuawc.edu.cn

1167。姓名: 红员友

住址（大学）：中国上海市青浦区启化大学敬晖路 569 号（邮政编码：514575）。联系电话：34349038。电子邮箱：lshtx@sivzltuo.edu.cn

Zhù zhǐ: Hóng Yún Yǒu Zhōng Guó Shànghǎi Shì Qīngpǔ Qū Qǐ Huā DàxuéJìng Huī Lù 569 Hào（Yóuzhèng Biānmǎ：514575). Liánxì Diànhuà：34349038. Diànzǐ Yóuxiāng：lshtx@sivzltuo.edu.cn

Yun You Hong, Qi Hua University, 569 Jing Hui Road, Qingpu District, Shanghai, China. Postal Code: 514575. Phone Number：34349038. E-mail：lshtx@sivzltuo.edu.cn

1168。姓名: 扶亚黎

住址（公园）：中国上海市青浦区风王路 401 号源德公园（邮政编码：373588）。联系电话：70681913。电子邮箱：rpmlx@mqahnzeu.parks.cn

Zhù zhǐ: Fú Yà Lí Zhōng Guó Shànghǎi Shì Qīngpǔ Qū Fēng Wáng Lù 401 Hào Yuán Dé Gōng Yuán (Yóuzhèng Biānmǎ: 373588). Liánxì Diànhuà: 70681913. Diànzǐ Yóuxiāng: rpmlx@mqahnzeu.parks.cn

Ya Li Fu, Yuan De Park, 401 Feng Wang Road, Qingpu District, Shanghai, China. Postal Code: 373588. Phone Number: 70681913. E-mail: rpmlx@mqahnzeu.parks.cn

1169。姓名: 侯屹宽

住址（火车站）：中国上海市闵行区钦迅路 119 号上海站（邮政编码：460995）。联系电话：49017137。电子邮箱：ljrwo@tqwicumx.chr.cn

Zhù zhǐ: Hóu Yì Kuān Zhōng Guó Shànghǎi Shì Mǐnxíng Qū Qīn Xùn Lù 119 Hào àngǎi Zhàn (Yóuzhèng Biānmǎ: 460995). Liánxì Diànhuà: 49017137. Diànzǐ Yóuxiāng: ljrwo@tqwicumx.chr.cn

Yi Kuan Hou, Shanghai Railway Station, 119 Qin Xun Road, Minhang District, Shanghai, China. Postal Code: 460995. Phone Number: 49017137. E-mail: ljrwo@tqwicumx.chr.cn

1170。姓名: 衡鹤冠

住址（博物院）：中国上海市奉贤区愈大路 335 号上海博物馆（邮政编码：889635）。联系电话：78334282。电子邮箱: oqalb@lzsxwmvj.museums.cn

Zhù zhǐ: Héng Hè Guān Zhōng Guó Shànghǎi Shì Fèngxián Qū Yù Dài Lù 335 Hào àngǎi Bó Wù Guǎn (Yóuzhèng Biānmǎ: 889635). Liánxì Diànhuà: 78334282. Diànzǐ Yóuxiāng: oqalb@lzsxwmvj.museums.cn

He Guan Heng, Shanghai Museum, 335 Yu Dai Road, Fengxian District, Shanghai, China. Postal Code: 889635. Phone Number: 78334282. E-mail: oqalb@lzsxwmvj.museums.cn

CHAPTER 5: NAME, SURNAME & ADDRESSES (121-150)

1171。姓名: 伯水国

住址（火车站）：中国上海市徐汇区石乐路 948 号上海站（邮政编码：213062）。联系电话：25011372。电子邮箱：eakip@whvkrpxz.chr.cn

Zhù zhǐ: Bó Shuǐ Guó Zhōng Guó Shànghǎi Shì Xúhuì Qū Shí Lè Lù 948 Hào àngǎi Zhàn （Yóuzhèng Biānmǎ：213062). Liánxì Diànhuà：25011372. Diànzǐ Yóuxiāng：eakip@whvkrpxz.chr.cn

Shui Guo Bo, Shanghai Railway Station, 948 Shi Le Road, Xuhui District, Shanghai, China. Postal Code: 213062. Phone Number：25011372. E-mail：eakip@whvkrpxz.chr.cn

1172。姓名: 桑郁辉

住址（机场）：中国上海市徐汇区食亚路 217 号上海乙土国际机场（邮政编码：982877）。联系电话：83873237。电子邮箱：myqvw@cqtygnbw.airports.cn

Zhù zhǐ: Sāng Yù Huī Zhōng Guó Shànghǎi Shì Xúhuì Qū Yì Yà Lù 217 Hào àngǎi Yǐ Tǔ Guó Jì Jī Chǎng （Yóuzhèng Biānmǎ：982877). Liánxì Diànhuà：83873237. Diànzǐ Yóuxiāng：myqvw@cqtygnbw.airports.cn

Yu Hui Sang, Shanghai Yi Tu International Airport, 217 Yi Ya Road, Xuhui District, Shanghai, China. Postal Code: 982877. Phone Number：83873237. E-mail：myqvw@cqtygnbw.airports.cn

1173。姓名: 惠咚来

住址（寺庙）：中国上海市浦东新区帆征路 102 号钊石寺（邮政编码：653825）。联系电话：14916221。电子邮箱：weady@pvhtiodf.god.cn

Zhù zhǐ: Huì Dōng Lái Zhōng Guó Shànghǎi Shì Pǔdōng Xīnqū Fān Zhēng Lù 102 Hào Zhāo Shí Sì (Yóuzhèng Biānmǎ: 653825). Liánxì Diànhuà: 14916221. Diànzǐ Yóuxiāng: weady@pvhtiodf.god.cn

Dong Lai Hui, Zhao Shi Temple, 102 Fan Zheng Road, Pudong New Area, Shanghai, China. Postal Code: 653825. Phone Number: 14916221. E-mail: weady@pvhtiodf.god.cn

1174。姓名: 空仓食

住址（公司）：中国上海市松江区近人路 170 号浩光有限公司（邮政编码：914444）。联系电话：85675700。电子邮箱：jsrmu@dhycxrwo.biz.cn

Zhù zhǐ: Kōng Cāng Shí Zhōng Guó Shànghǎi Shì Sōngjiāng Qū Jìn Rén Lù 170 Hào Hào Guāng Yǒuxiàn Gōngsī (Yóuzhèng Biānmǎ: 914444). Liánxì Diànhuà: 85675700. Diànzǐ Yóuxiāng: jsrmu@dhycxrwo.biz.cn

Cang Shi Kong, Hao Guang Corporation, 170 Jin Ren Road, Songjiang District, Shanghai, China. Postal Code: 914444. Phone Number: 85675700. E-mail: jsrmu@dhycxrwo.biz.cn

1175。姓名: 缑炯波

住址（公司）：中国上海市杨浦区波先路 475 号铁帆有限公司（邮政编码：348274）。联系电话：77094267。电子邮箱：weftm@ykcfzvxw.biz.cn

Zhù zhǐ: Gōu Jiǒng Bō Zhōng Guó Shànghǎi Shì Yángpǔ Qū Bō Xiān Lù 475 Hào Fū Fān Yǒuxiàn Gōngsī (Yóuzhèng Biānmǎ: 348274). Liánxì Diànhuà: 77094267. Diànzǐ Yóuxiāng: weftm@ykcfzvxw.biz.cn

Jiong Bo Gou, Fu Fan Corporation, 475 Bo Xian Road, Yangpu District, Shanghai, China. Postal Code: 348274. Phone Number: 77094267. E-mail: weftm@ykcfzvxw.biz.cn

1176。姓名: 杜楚近

住址（机场）：中国上海市宝山区智员路 709 号上海来进国际机场（邮政编码：311295）。联系电话：25726238。电子邮箱：stgzb@yurbjiwc.airports.cn

Zhù zhǐ: Dù Chǔ Jìn Zhōng Guó Shànghǎi Shì Bǎoshān Qū Zhì Yuán Lù 709 Hào àngǎi Lái Jìn Guó Jì Jī Chǎng (Yóuzhèng Biānmǎ：311295). Liánxì Diànhuà：25726238. Diànzǐ Yóuxiāng：stgzb@yurbjiwc.airports.cn

Chu Jin Du, Shanghai Lai Jin International Airport, 709 Zhi Yuan Road, Baoshan District, Shanghai, China. Postal Code: 311295. Phone Number：25726238. E-mail：stgzb@yurbjiwc.airports.cn

1177。姓名: 郁民骥

住址（博物院）：中国上海市杨浦区先世路 283 号上海博物馆（邮政编码：306751）。联系电话：38680004。电子邮箱：qnfjt@pufxecny.museums.cn

Zhù zhǐ: Yù Mín Jì Zhōng Guó Shànghǎi Shì Yángpǔ Qū Xiān Shì Lù 283 Hào àngǎi Bó Wù Guǎn (Yóuzhèng Biānmǎ：306751). Liánxì Diànhuà：38680004. Diànzǐ Yóuxiāng：qnfjt@pufxecny.museums.cn

Min Ji Yu, Shanghai Museum, 283 Xian Shi Road, Yangpu District, Shanghai, China. Postal Code: 306751. Phone Number：38680004. E-mail：qnfjt@pufxecny.museums.cn

1178。姓名: 宦全其

住址（酒店）：中国上海市杨浦区金光路 591 号福斌酒店（邮政编码：793319）。联系电话：91051670。电子邮箱：hxtnf@ytgsjhfb.biz.cn

Zhù zhǐ: Huàn Quán Qí Zhōng Guó Shànghǎi Shì Yángpǔ Qū Jīn Guāng Lù 591 Hào Fú Bīn Jiǔ Diàn (Yóuzhèng Biānmǎ：793319). Liánxì Diànhuà：91051670. Diànzǐ Yóuxiāng：hxtnf@ytgsjhfb.biz.cn

Quan Qi Huan, Fu Bin Hotel, 591 Jin Guang Road, Yangpu District, Shanghai, China. Postal Code: 793319. Phone Number：91051670. E-mail：hxtnf@ytgsjhfb.biz.cn

1179。姓名: 郤磊征

住址（博物院）：中国上海市普陀区亚仲路 641 号上海博物馆（邮政编码：960698）。联系电话：18979551。电子邮箱：fvbxh@vqlywzek.museums.cn

Zhù zhǐ: Xì Lěi Zhēng Zhōng Guó Shànghǎi Shì Pǔtuó Qū Yà Zhòng Lù 641 Hào àngǎi Bó Wù Guǎn（Yóuzhèng Biānmǎ：960698). Liánxì Diànhuà：18979551. Diànzǐ Yóuxiāng：fvbxh@vqlywzek.museums.cn

Lei Zheng Xi, Shanghai Museum, 641 Ya Zhong Road, Putuo District, Shanghai, China. Postal Code: 960698. Phone Number：18979551. E-mail：fvbxh@vqlywzek.museums.cn

1180。姓名: 夏亭葆

住址（酒店）：中国上海市长宁区绅乐路 658 号舟先酒店（邮政编码：122758）。联系电话：78150123。电子邮箱：hqofg@mgrknujc.biz.cn

Zhù zhǐ: Xià Tíng Bǎo Zhōng Guó Shànghǎi Shì Zhǎngníng Qū Shēn Lè Lù 658 Hào Zhōu Xiān Jiǔ Diàn（Yóuzhèng Biānmǎ：122758). Liánxì Diànhuà：78150123. Diànzǐ Yóuxiāng：hqofg@mgrknujc.biz.cn

Ting Bao Xia, Zhou Xian Hotel, 658 Shen Le Road, Changning District, Shanghai, China. Postal Code: 122758. Phone Number：78150123. E-mail：hqofg@mgrknujc.biz.cn

1181。姓名: 芮刚乐

住址（公共汽车站）：中国上海市崇明区甫智路 490 号独焯站（邮政编码：824526）。联系电话：70948812。电子邮箱：rnsgj@uperdscl.transport.cn

Zhù zhǐ: Ruì Gāng Lè Zhōng Guó Shànghǎi Shì Chóngmíng Qū Fǔ Zhì Lù 490 Hào Dú Chāo Zhàn（Yóuzhèng Biānmǎ：824526). Liánxì Diànhuà：70948812. Diànzǐ Yóuxiāng：rnsgj@uperdscl.transport.cn

Gang Le Rui, Du Chao Bus Station, 490 Fu Zhi Road, Chongming District, Shanghai, China. Postal Code: 824526. Phone Number：70948812. E-mail：rnsgj@uperdscl.transport.cn

1182。姓名: 罗兆磊

住址（公司）：中国上海市奉贤区柱葛路 896 号铁人有限公司（邮政编码：620069）。联系电话：39143021。电子邮箱：khgto@drsqwepo.biz.cn

Zhù zhǐ: Luó Zhào Lěi Zhōng Guó Shànghǎi Shì Fèngxián Qū Zhù Gé Lù 896 Hào Fū Rén Yǒuxiàn Gōngsī（Yóuzhèng Biānmǎ：620069). Liánxì Diànhuà：39143021. Diànzǐ Yóuxiāng：khgto@drsqwepo.biz.cn

Zhao Lei Luo, Fu Ren Corporation, 896 Zhu Ge Road, Fengxian District, Shanghai, China. Postal Code: 620069. Phone Number：39143021. E-mail：khgto@drsqwepo.biz.cn

1183。姓名: 东门冠石

住址（公共汽车站）：中国上海市青浦区惟柱路 890 号可铭站（邮政编码：431664）。联系电话：36871334。电子邮箱：mlxtv@yrvlkcfu.transport.cn

Zhù zhǐ: Dōngmén Guàn Shí Zhōng Guó Shànghǎi Shì Qīngpǔ Qū Wéi Zhù Lù 890 Hào Kě Míng Zhàn（Yóuzhèng Biānmǎ：431664). Liánxì Diànhuà：36871334. Diànzǐ Yóuxiāng：mlxtv@yrvlkcfu.transport.cn

Guan Shi Dongmen, Ke Ming Bus Station, 890 Wei Zhu Road, Qingpu District, Shanghai, China. Postal Code: 431664. Phone Number：36871334. E-mail：mlxtv@yrvlkcfu.transport.cn

1184。姓名: 融晗甫

住址（医院）：中国上海市崇明区豹郁路 378 号食寰医院（邮政编码：936448）。联系电话：37527627。电子邮箱：jvrdy@ldgkpmnb.health.cn

Zhù zhǐ: Róng Hán Fǔ Zhōng Guó Shànghǎi Shì Chóngmíng Qū Bào Yù Lù 378 Hào Sì Huán Yī Yuàn (Yóuzhèng Biānmǎ: 936448). Liánxì Diànhuà: 37527627. Diànzǐ Yóuxiāng: jvrdy@ldgkpmnb.health.cn

Han Fu Rong, Si Huan Hospital, 378 Bao Yu Road, Chongming District, Shanghai, China. Postal Code: 936448. Phone Number: 37527627. E-mail: jvrdy@ldgkpmnb.health.cn

1185。姓名: 郭振轼

住址（机场）：中国上海市徐汇区锡豹路 684 号上海珏食国际机场（邮政编码：401166）。联系电话：17425333。电子邮箱：devzq@twjlbxir.airports.cn

Zhù zhǐ: Guō Zhèn Shì Zhōng Guó Shànghǎi Shì Xúhuì Qū Xī Bào Lù 684 Hào àngǎi Jué Shí Guó Jì Jī Chǎng (Yóuzhèng Biānmǎ: 401166). Liánxì Diànhuà: 17425333. Diànzǐ Yóuxiāng: devzq@twjlbxir.airports.cn

Zhen Shi Guo, Shanghai Jue Shi International Airport, 684 Xi Bao Road, Xuhui District, Shanghai, China. Postal Code: 401166. Phone Number: 17425333. E-mail: devzq@twjlbxir.airports.cn

1186。姓名: 蒯启克

住址（医院）：中国上海市静安区游鹤路 693 号黎臻医院（邮政编码：433465）。联系电话：95606160。电子邮箱：zxwys@ansoqixb.health.cn

Zhù zhǐ: Kuǎi Qǐ Kè Zhōng Guó Shànghǎi Shì Jìngān Qū Yóu Hè Lù 693 Hào Lí Zhēn Yī Yuàn (Yóuzhèng Biānmǎ: 433465). Liánxì Diànhuà: 95606160. Diànzǐ Yóuxiāng: zxwys@ansoqixb.health.cn

Qi Ke Kuai, Li Zhen Hospital, 693 You He Road, Jingan District, Shanghai, China. Postal Code: 433465. Phone Number: 95606160. E-mail: zxwys@ansoqixb.health.cn

1187。姓名: 孔学波

住址（公共汽车站）：中国上海市闵行区游德路 393 号焯冕站（邮政编码：291897）。联系电话：38730920。电子邮箱：ypqzh@uqgbiljv.transport.cn

Zhù zhǐ: Kǒng Xué Bō Zhōng Guó Shànghǎi Shì Mǐnxíng Qū Yóu Dé Lù 393 Hào Zhuō Miǎn Zhàn（Yóuzhèng Biānmǎ：291897）. Liánxì Diànhuà：38730920. Diànzǐ Yóuxiāng：ypqzh@uqgbiljv.transport.cn

Xue Bo Kong, Zhuo Mian Bus Station, 393 You De Road, Minhang District, Shanghai, China. Postal Code: 291897. Phone Number：38730920. E-mail：ypqzh@uqgbiljv.transport.cn

1188。姓名: 司铁屹

住址（大学）：中国上海市浦东新区斌臻大学奎刚路 141 号（邮政编码：611894）。联系电话：59795058。电子邮箱：jbgoa@icljhqtb.edu.cn

Zhù zhǐ: Sī Fū Yì Zhōng Guó Shànghǎi Shì Pǔdōng Xīnqū Bīn Zhēn DàxuéKuí Gāng Lù 141 Hào（Yóuzhèng Biānmǎ：611894）. Liánxì Diànhuà：59795058. Diànzǐ Yóuxiāng：jbgoa@icljhqtb.edu.cn

Fu Yi Si, Bin Zhen University, 141 Kui Gang Road, Pudong New Area, Shanghai, China. Postal Code: 611894. Phone Number：59795058. E-mail：jbgoa@icljhqtb.edu.cn

1189。姓名: 尤原维

住址（机场）：中国上海市浦东新区易科路 644 号上海斌化国际机场（邮政编码：528730）。联系电话：37709152。电子邮箱：svwbk@vqfneyix.airports.cn

Zhù zhǐ: Yóu Yuán Wéi Zhōng Guó Shànghǎi Shì Pǔdōng Xīnqū Yì Kē Lù 644 Hào àngǎi Bīn Huā Guó Jì Jī Chǎng（Yóuzhèng Biānmǎ：528730）. Liánxì Diànhuà：37709152. Diànzǐ Yóuxiāng：svwbk@vqfneyix.airports.cn

Yuan Wei You, Shanghai Bin Hua International Airport, 644 Yi Ke Road, Pudong New Area, Shanghai, China. Postal Code: 528730. Phone Number：37709152. E-mail：svwbk@vqfneyix.airports.cn

1190。姓名: 池铁谢

住址（火车站）：中国上海市嘉定区来绅路 516 号上海站（邮政编码：793597）。联系电话：77659494。电子邮箱：eizad@mwfvqyjo.chr.cn

Zhù zhǐ: Chí Tiě Xiè Zhōng Guó Shànghǎi Shì Jiādìng Qū Lái Shēn Lù 516 Hào àngǎi Zhàn （Yóuzhèng Biānmǎ：793597). Liánxì Diànhuà：77659494. Diànzǐ Yóuxiāng：eizad@mwfvqyjo.chr.cn

Tie Xie Chi, Shanghai Railway Station, 516 Lai Shen Road, Jiading District, Shanghai, China. Postal Code: 793597. Phone Number：77659494. E-mail：eizad@mwfvqyjo.chr.cn

1191。姓名: 蓟敬近

住址（公司）：中国上海市崇明区鹤原路 784 号九水有限公司（邮政编码：261263）。联系电话：58916469。电子邮箱：gfyhl@vxbuyrqe.biz.cn

Zhù zhǐ: Jì Jìng Jìn Zhōng Guó Shànghǎi Shì Chóngmíng Qū Hè Yuán Lù 784 Hào Jiǔ Shuǐ Yǒuxiàn Gōngsī (Yóuzhèng Biānmǎ：261263). Liánxì Diànhuà：58916469. Diànzǐ Yóuxiāng：gfyhl@vxbuyrqe.biz.cn

Jing Jin Ji, Jiu Shui Corporation, 784 He Yuan Road, Chongming District, Shanghai, China. Postal Code: 261263. Phone Number：58916469. E-mail：gfyhl@vxbuyrqe.biz.cn

1192。姓名: 路亮绅

住址（酒店）：中国上海市静安区腾懂路 163 号禹禹酒店（邮政编码：946822）。联系电话：78176180。电子邮箱：kdwgj@zdslcvnk.biz.cn

Zhù zhǐ: Lù Liàng Shēn Zhōng Guó Shànghǎi Shì Jìngān Qū Téng Dǒng Lù 163 Hào Yǔ Yǔ Jiǔ Diàn (Yóuzhèng Biānmǎ: 946822). Liánxì Diànhuà: 78176180. Diànzǐ Yóuxiāng: kdwgj@zdslcvnk.biz.cn

Liang Shen Lu, Yu Yu Hotel, 163 Teng Dong Road, Jingan District, Shanghai, China. Postal Code: 946822. Phone Number: 78176180. E-mail: kdwgj@zdslcvnk.biz.cn

1193。姓名: 爱译俊

住址（大学）：中国上海市闵行区阳克大学渊泽路 789 号（邮政编码：822186）。联系电话：41212863。电子邮箱：ptghr@mkaecntd.edu.cn

Zhù zhǐ: Ài Yì Jùn Zhōng Guó Shànghǎi Shì Mǐnxíng Qū Yáng Kè DàxuéYuān Zé Lù 789 Hào (Yóuzhèng Biānmǎ: 822186). Liánxì Diànhuà: 41212863. Diànzǐ Yóuxiāng: ptghr@mkaecntd.edu.cn

Yi Jun Ai, Yang Ke University, 789 Yuan Ze Road, Minhang District, Shanghai, China. Postal Code: 822186. Phone Number: 41212863. E-mail: ptghr@mkaecntd.edu.cn

1194。姓名: 麻嘉焯

住址（酒店）：中国上海市普陀区源可路 926 号成奎酒店（邮政编码：638665）。联系电话：32399618。电子邮箱：ozrdh@byzmjxao.biz.cn

Zhù zhǐ: Má Jiā Chāo Zhōng Guó Shànghǎi Shì Pǔtuó Qū Yuán Kě Lù 926 Hào Chéng Kuí Jiǔ Diàn (Yóuzhèng Biānmǎ: 638665). Liánxì Diànhuà: 32399618. Diànzǐ Yóuxiāng: ozrdh@byzmjxao.biz.cn

Jia Chao Ma, Cheng Kui Hotel, 926 Yuan Ke Road, Putuo District, Shanghai, China. Postal Code: 638665. Phone Number: 32399618. E-mail: ozrdh@byzmjxao.biz.cn

1195。姓名: 汝水游

住址（机场）：中国上海市徐汇区兆不路 292 号上海晗腾国际机场（邮政编码：236713）。联系电话：84723489。电子邮箱：vqjza@cnvltxqm.airports.cn

Zhù zhǐ: Rǔ Shuǐ Yóu Zhōng Guó Shànghǎi Shì Xúhuì Qū Zhào Bù Lù 292 Hào àngǎi Hán Téng Guó Jì Jī Chǎng（Yóuzhèng Biānmǎ：236713). Liánxì Diànhuà：84723489. Diànzǐ Yóuxiāng：vqjza@cnvltxqm.airports.cn

Shui You Ru, Shanghai Han Teng International Airport, 292 Zhao Bu Road, Xuhui District, Shanghai, China. Postal Code: 236713. Phone Number：84723489. E-mail：vqjza@cnvltxqm.airports.cn

1196。姓名: 卫愈近

住址（酒店）：中国上海市宝山区红嘉路 533 号轼甫酒店（邮政编码：438695）。联系电话：69574300。电子邮箱：ogikh@tdbulhny.biz.cn

Zhù zhǐ: Wèi Yù Jìn Zhōng Guó Shànghǎi Shì Bǎoshān Qū Hóng Jiā Lù 533 Hào Shì Fǔ Jiǔ Diàn（Yóuzhèng Biānmǎ：438695). Liánxì Diànhuà：69574300. Diànzǐ Yóuxiāng：ogikh@tdbulhny.biz.cn

Yu Jin Wei, Shi Fu Hotel, 533 Hong Jia Road, Baoshan District, Shanghai, China. Postal Code: 438695. Phone Number：69574300. E-mail：ogikh@tdbulhny.biz.cn

1197。姓名: 国翰圣

住址（寺庙）：中国上海市普陀区化轶路 959 号石懂寺（邮政编码：563202）。联系电话：35834518。电子邮箱：tejdu@gpzdrlkq.god.cn

Zhù zhǐ: Guó Hàn Shèng Zhōng Guó Shànghǎi Shì Pǔtuó Qū Huā Yì Lù 959 Hào Dàn Dǒng Sì（Yóuzhèng Biānmǎ：563202). Liánxì Diànhuà：35834518. Diànzǐ Yóuxiāng：tejdu@gpzdrlkq.god.cn

Han Sheng Guo, Dan Dong Temple, 959 Hua Yi Road, Putuo District, Shanghai, China. Postal Code: 563202. Phone Number：35834518. E-mail：tejdu@gpzdrlkq.god.cn

1198。姓名: 福九柱

住址（大学）：中国上海市杨浦区德成大学臻谢路 543 号（邮政编码：502768）。联系电话：53202586。电子邮箱：xonuf@yqedjrwv.edu.cn

Zhù zhǐ: Fú Jiǔ Zhù Zhōng Guó Shànghǎi Shì Yángpǔ Qū Dé Chéng DàxuéZhēn Xiè Lù 543 Hào（Yóuzhèng Biānmǎ：502768). Liánxì Diànhuà：53202586. Diànzǐ Yóuxiāng：xonuf@yqedjrwv.edu.cn

Jiu Zhu Fu, De Cheng University, 543 Zhen Xie Road, Yangpu District, Shanghai, China. Postal Code: 502768. Phone Number：53202586. E-mail: xonuf@yqedjrwv.edu.cn

1199。姓名: 惠迅振

住址（大学）：中国上海市青浦区炯珏大学全勇路 706 号（邮政编码：848804）。联系电话：97647246。电子邮箱：uqwpe@bzhnkmec.edu.cn

Zhù zhǐ: Huì Xùn Zhèn Zhōng Guó Shànghǎi Shì Qīngpǔ Qū Jiǒng Jué DàxuéQuán Yǒng Lù 706 Hào（Yóuzhèng Biānmǎ：848804). Liánxì Diànhuà：97647246. Diànzǐ Yóuxiāng：uqwpe@bzhnkmec.edu.cn

Xun Zhen Hui, Jiong Jue University, 706 Quan Yong Road, Qingpu District, Shanghai, China. Postal Code: 848804. Phone Number：97647246. E-mail：uqwpe@bzhnkmec.edu.cn

1200。姓名: 桑彬磊

住址（酒店）：中国上海市浦东新区发伦路 201 号宝化酒店（邮政编码：710873）。联系电话：97828758。电子邮箱：beowm@yzjvdkrg.biz.cn

Zhù zhǐ: Sāng Bīn Lěi Zhōng Guó Shànghǎi Shì Pǔdōng Xīnqū Fā Lún Lù 201 Hào Bǎo Huà Jiǔ Diàn（Yóuzhèng Biānmǎ：710873). Liánxì Diànhuà：97828758. Diànzǐ Yóuxiāng：beowm@yzjvdkrg.biz.cn

Bin Lei Sang, Bao Hua Hotel, 201 Fa Lun Road, Pudong New Area, Shanghai, China. Postal Code: 710873. Phone Number：97828758. E-mail：beowm@yzjvdkrg.biz.cn

Milton Keynes UK
Ingram Content Group UK Ltd.
UKHW051235010424
440421UK00012B/710